수학의
샘
Spring of mathematics
워크북
예제·
유제편
수학Ⅱ
KB122654

차례

※ 집필 및 연구 : 아샘수학연구소 편집 및 디자인 : 김세리

1. 함수의 극한
   ① 함수의 극한과 수렴
   ② 좌극한과 우극한
   ③ 함수의 발산
   ④ $x \to \infty$일 때, 함수 $y=f(x)$의 극한

2. 함수의 극한의 성질
   ① 함수의 극한에 대한 성질
   ② 여러 가지 함수의 극한
   ③ 수렴하는 분수함수의 극한
   ④ 함수의 극한의 대소 관계

1. 함수의 극한과 수렴

함수 $y=f(x)$에서 x가 a와 다른 값을 가지면서 a에 한없이 가까워질 때, $f(x)$의 값이 일정한 값 α에 한없이 가까워지면 함수 $y=f(x)$는 α에 수렴한다고 하고, 기호로

$$\lim_{x \to a} f(x)=\alpha \text{ 또는 } x \to a\text{일 때, } f(x) \to \alpha$$

와 같이 나타낸다. 이때, α를 $x \to a$일 때, 함수 $y=f(x)$의 극한 또는 극한값이라고 한다.

2. 좌극한값과 우극한값

(1) $\lim_{x \to a-} f(x)=\alpha$일 때, α를 $x=a$에서 함수 $y=f(x)$의 좌극한값이라고 한다.

(2) $\lim_{x \to a+} f(x)=\beta$일 때, β를 $x=a$에서 함수 $y=f(x)$의 우극한값이라고 한다.

3. 함수의 극한에 대한 성질

$\lim_{x \to a} f(x)=\alpha$, $\lim_{x \to a} g(x)=\beta$ (α, β는 실수)일 때,

(1) $\lim_{x \to a} kf(x)=k\lim_{x \to a} f(x)=k\alpha$ (단, k는 상수)

(2) $\lim_{x \to a} \{f(x)\pm g(x)\}=\lim_{x \to a} f(x)\pm \lim_{x \to a} g(x)=\alpha\pm\beta$ (복부호 동순)

(3) $\lim_{x \to a} f(x)g(x)=\lim_{x \to a} f(x)\lim_{x \to a} g(x)=\alpha\beta$

(4) $\lim_{x \to a} \dfrac{f(x)}{g(x)}=\dfrac{\lim_{x \to a} f(x)}{\lim_{x \to a} g(x)}=\dfrac{\alpha}{\beta}$ (단, $\beta\neq0$)

4. 수렴하는 분수함수의 극한

(1) $\lim_{x \to a} \dfrac{f(x)}{g(x)}=\alpha$ (α는 실수)이고, $\lim_{x \to a} g(x)=0$이면 ➡ $\lim_{x \to a} f(x)=0$

(2) $\lim_{x \to a} \dfrac{f(x)}{g(x)}=\alpha$ (α는 0이 아닌 실수)이고, $\lim_{x \to a} f(x)=0$이면 ➡ $\lim_{x \to a} g(x)=0$

5. 함수의 극한의 대소 관계

a에 가까운 모든 x의 값에 대하여 (α, β는 실수)

(1) $f(x)\le g(x)$이고, $\lim_{x \to a} f(x)=\alpha$, $\lim_{x \to a} g(x)=\beta$이면 ➡ $\alpha\le\beta$

(2) $f(x)\le h(x)\le g(x)$이고, $\lim_{x \to a} f(x)=\lim_{x \to a} g(x)=\alpha$이면 ➡ $\lim_{x \to a} h(x)=\alpha$

1 함수의 극한

필수 예제 1

그래프를 이용하여 다음 극한을 조사하시오.

(1) $\lim_{x \to 3} \frac{x^2-9}{x-3}$ O △ X

(2) $\lim_{x \to 2} \sqrt{2x+1}$ O △ X

아름다운 샘

(3) $\lim_{x\to1}\left\{\frac{1}{(x-1)^2}+3\right\}$ O △ X

유제 1-1

다음 극한을 조사하시오.

(1) $\lim_{x\to0}\frac{1}{x+5}$ O △ X

(2) $\lim_{x\to-3}\frac{x^2+x-6}{x+3}$ O △ X

아름다운샘

(3) $\lim_{x \to -2} \left\{ -\frac{1}{(x+2)^2} \right\}$

O △ X

(4) $\lim_{x \to -1} \frac{1}{|x+1|}$

O △ X

필수 예제 2

다음 극한을 조사하시오.

(1) $\lim_{x \to \infty} (x^2+3x-2)$

O △ X

(2) $\lim_{x \to \infty} \sqrt{2x-1}$

O △ X

(3) $\lim_{x \to -\infty}\left(\frac{1}{x^2}-1\right)$

O △ X

유제 1-2

다음 극한을 조사하시오.

(1) $\lim_{x \to -\infty}(x^2+4x-12)$

O △ X

(2) $\lim_{x \to \infty}\frac{2x}{x+1}$

O △ X

아름다운 샘

(3) $\lim_{x \to -\infty} \left\{ \frac{1}{(x-2)^2} - 3 \right\}$

O △ X

(4) $\lim_{x \to \infty} \left(-\frac{5}{|x-3|} \right)$

O △ X

필수 예제 3

함수 $y=f(x)$의 그래프가 그림과 같을 때, 다음 값을 구하시오.

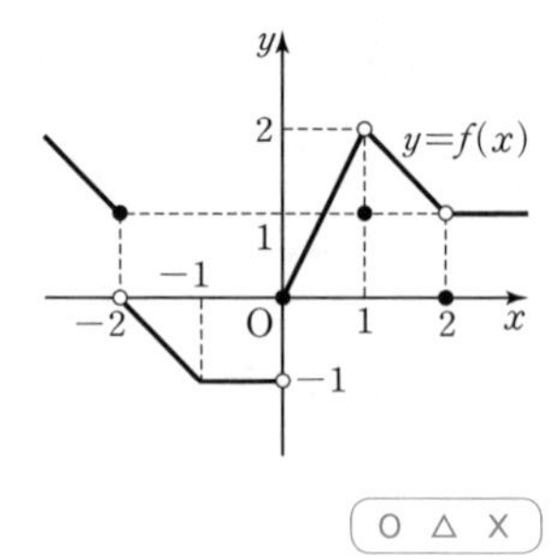

(1) $\lim_{x \to 0-} f(x)$

O △ X

(2) $\lim_{x \to 1+} f(x)$

O △ X

아름다운 샘

(3) $\lim_{x \to -2} f(x)$ O △ X

(4) $f(2)$ O △ X

(5) $\lim_{x \to -1+} f(x-1)$ O △ X

(6) $\lim_{x \to -2-} f(x+1)$ O △ X

아름다운샘

유제 1-3

두 함수 $y=f(x)$, $y=g(x)$의 그래프가 그림과 같을 때, 다음 극한값을 구하시오.

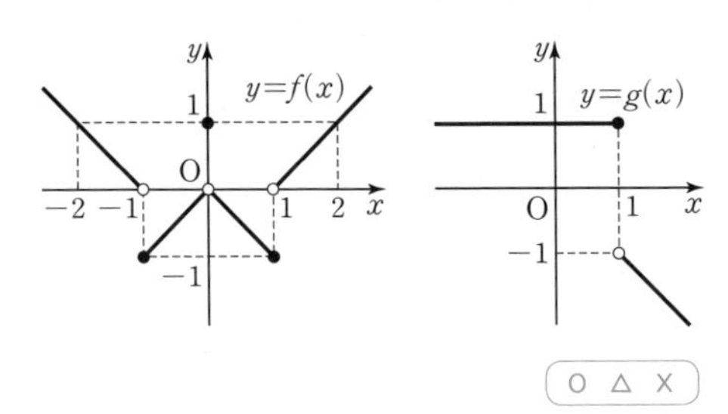

(1) $\lim_{x\to1-} f(x)+\lim_{x\to1+} g(x)$

O △ X

(2) $\lim_{x\to-2+} f(x)\times\lim_{x\to1+} g(x)$

O △ X

(3) $\lim_{x\to1-} f(x-2)+\lim_{x\to1-} g(x)$

O △ X

아름다운 샘

필수 예제 4

두 함수 $y=f(x)$, $y=g(x)$의 그래프가 그림과 같을 때, 다음 극한값을 구하시오.

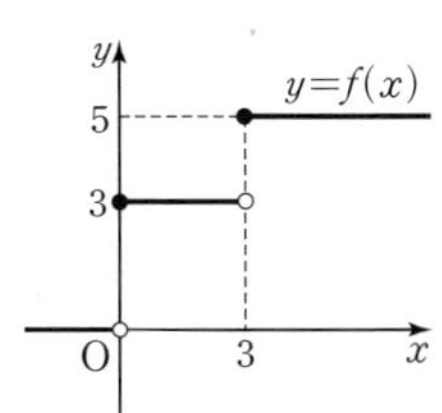

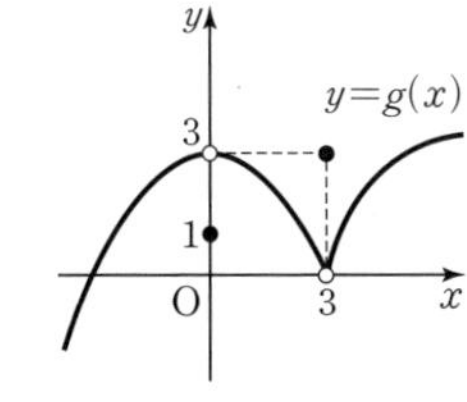

(1) $\lim_{x \to 3-} f(g(x))$

O △ X

(2) $\lim_{x \to 0-} f(g(x))$

O △ X

(3) $\lim_{x \to 0+} g(f(x))$

O △ X

유제 1-4

두 함수 $y=f(x)$, $y=g(x)$의 그래프가 그림과 같다.

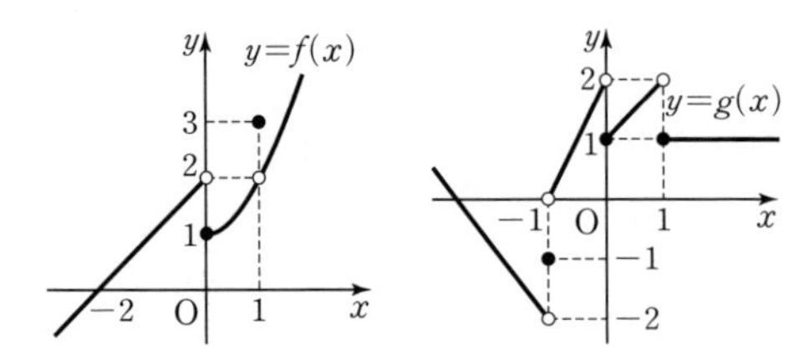

$\lim_{x\to1+} f(g(x))+\lim_{x\to-2-} g(f(x))$의 값을 구하시오.

O △ X

발전 예제 5

다음 극한을 조사하시오. (단, $[x]$는 x보다 크지 않은 최대의 정수이다.)

(1) $\lim_{x\to1}\frac{x-1}{|x-1|}$

O △ X

(2) $\lim_{x\to1}[2x+1]$

O △ X

유제 1-5

다음 극한을 조사하시오. (단, $[x]$는 x보다 크지 않은 최대의 정수이다.)

(1) $\lim_{x \to 1} \frac{|x-1|}{x(x-1)}$

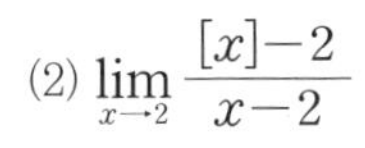

(2) $\lim_{x \to 2} \frac{[x]-2}{x-2}$

○ △ X

필수 예제 6

두 함수 $y=f(x)$, $y=g(x)$에 대하여 다음 물음에 답하시오.

(1) $\lim_{x \to 1} f(x)=3$, $\lim_{x \to 1} g(x)=2$일 때, $\lim_{x \to 1}\{3f(x)+f(x)g(x)\}$의 값을 구하시오.

O △ X

(2) $\lim_{x \to 0} f(x)=2$, $\lim_{x \to 0}\{4f(x)-g(x)\}=4$일 때, $\lim_{x \to 0} \frac{2f(x)+3g(x)}{3f(x)-g(x)}$의 값을 구하시오.

O △ X

유제 1-6

함수 $y=f(x)$에 대하여 $\lim_{x \to 0} \frac{f(x)}{x}=1$일 때, $\lim_{x \to 0} \frac{x^2+2f(x)}{7x-3f(x)}$의 값을 구하시오.

O △ X

아름다운 샘

유제 1-7

두 함수 $y=f(x)$, $y=g(x)$가

$$\lim_{x\to1} f(x)=\infty,\ \lim_{x\to1}\{3f(x)-g(x)\}=2$$

를 만족시킬 때, $\lim_{x\to1}\frac{f(x)-2g(x)}{2f(x)-g(x)}$의 값을 구하시오.

O △ X

필수 예제 7

다음 극한값을 구하시오.

(1) $\lim_{x\to1}\frac{x^2+5x-6}{x-1}$

O △ X

(2) $\lim_{x\to0}\frac{\sqrt{1+x}-1}{x}$

O △ X

아름다운 샘

(3) $\lim_{x \to 1} \frac{x^2-1}{\sqrt{x+3}-2}$ ○ △ X

유제 1-8

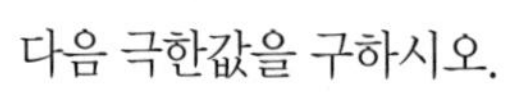

다음 극한값을 구하시오.

(1) $\lim_{x \to 2} \frac{x^3-8}{x-2}$ ○ △ X

(2) $\lim_{x \to 0} \frac{x^2}{1-\sqrt{1-x^2}}$ ○ △ X

(3) $\lim_{x \to -1} \frac{x+1}{\sqrt[3]{x}+1}$ ○ △ X

필수 예제 8

다음 극한값을 구하시오.

(1) $\lim_{x \to \infty} \frac{4x^2+x-2}{3x^2+2}$ ○ △ X

(2) $\lim_{x \to \infty} \frac{3x^2-x}{2x^3+1}$ ○ △ X

아름다운샘

(3) $\lim_{x \to \infty} \dfrac{3x+5}{\sqrt{x^2+2}-3}$ 

O △ X

(4) $\lim_{x \to -\infty} \dfrac{\sqrt{x^2-1}-x}{1-2x}$

O △ X

유제 1-9

다음 극한값을 구하시오.

(1) $\lim_{x \to \infty} \dfrac{x^2-3x+1}{3x^2-1}$

O △ X

(2) $\lim_{x \to \infty} \dfrac{x+2}{2x^2-3x+1}$

O △ X

(3) $\lim_{x\to\infty}\frac{3x-1}{\sqrt{x^2+x+1}+x}$ O △ X

(4) $\lim_{x\to-\infty}\frac{x}{\sqrt{x^2+3}-2x}$ O △ X

필수 예제 9

다음 극한을 조사하시오.

(1) $\lim_{x\to\infty}(x^3-x^2+2x-3)$ O △ X

(2) $\lim_{x\to\infty}(\sqrt{x^2+5x}-x)$ O △ X

아름다운 샘

(3) $\lim_{x \to -\infty} \frac{1}{\sqrt{x^2-x}+x}$

O △ X

유제 1-10

다음 극한을 조사하시오.

(1) $\lim_{x \to \infty}(-2x^3+4x^2-x+1)$

O △ X

(2) $\lim_{x \to \infty} \frac{1}{\sqrt{x^2+3x}-x}$

O △ X

(3) $\lim_{x \to \infty} \frac{\sqrt{x+3}-\sqrt{x+1}}{\sqrt{x+1}-\sqrt{x}}$

(4) $\lim_{x \to -\infty} (\sqrt{x^2+2x+4}+x)$

O △ X

유제 1-11

$\lim_{x \to \infty} (\sqrt{x^2+ax}-\sqrt{x^2-ax})=5$일 때, 상수 a의 값을 구하시오.

O △ X

필수 예제 10

다음 극한값을 구하시오.

(1) $\lim_{x \to 0} \frac{1}{x}\left(\frac{2}{x+2}-1\right)$

O △ X

(2) $\lim_{x \to \infty} x\left(\frac{1}{2}-\frac{\sqrt{x}}{\sqrt{4x+3}}\right)$

O △ X

유제 1-12

다음 극한값을 구하시오.

(1) $\lim_{x \to 0} \frac{1}{x}\left(\frac{1}{\sqrt{x+1}}-1\right)$

O △ X

(2) $\lim_{x \to \infty} x\left(\frac{2\sqrt{x}}{\sqrt{x+1}}-2\right)$

O △ X

아름다운샘

유제 1-13

$\lim_{x \to -\infty} x^2\left(\frac{1}{2}+\frac{x}{\sqrt{4x^2+6}}\right)$의 극한값을 구하시오.

O △ X

필수 예제 11

다음 식을 만족시키는 두 상수 a, b의 값을 구하시오.

(1) $\lim_{x \to 1} \frac{x^2+ax+b}{x-1}=3$

O △ X

(2) $\lim_{x \to 2} \frac{a\sqrt{x+2}-4}{x-2}=b$

O △ X

유제 1-14

다음 식을 만족시키는 두 상수 a, b의 값을 구하시오.

(1) $\lim_{x \to -1} \frac{x+1}{x^2+ax+b}=1$

O △ X

(2) $\lim_{x \to 1} \frac{x^2-1}{x^2+ax-2}=b$ (단, $b \neq 0$)

O △ X

(3) $\lim_{x \to 3} \frac{\sqrt{x+a}+b}{x-3}=\frac{1}{6}$

O △ X

(4) $\lim_{x \to 2} \frac{x^2-4}{\sqrt{x-a}+b}=8$

O △ X

아름다운샘

필수 예제 12

다항함수 $y=f(x)$가 다음 조건을 만족시킨다.

(가) $\lim_{x\to 1}\frac{f(x)}{x^2-1}=1$	(나) $\lim_{x\to\infty}\frac{f(x)}{x^2-1}=2$

다항식 $f(x)$를 구하시오.

O △ X

유제 1-15

다항함수 $y=f(x)$가 다음 조건을 만족시킬 때, $f(3)$의 값을 구하시오.

O △ X

(가) $\lim_{x\to\infty}\frac{f(x)-x^3}{x^2+2x-3}=-2$	(나) $\lim_{x\to 1}\frac{f(x)}{x-1}=4$

필수 예제 13

다음 물음에 답하시오.

(1) 임의의 양의 실수 x에 대하여 함수 $y=f(x)$가 $\frac{4x}{3x^2+x+2}<f(x)<\frac{4x}{3x^2+x+1}$를 만족시킬 때, $\lim_{x\to\infty} xf(x)$의 값을 구하시오. O △ X

(2) $x\neq2$인 모든 실수 x에 대하여 함수 $y=f(x)$가 $x^2-4<f(x)<2x^2-4x$를 만족시킬 때, $\lim_{x\to2}\frac{f(x)}{x-2}$의 값을 구하시오. O △ X

유제 1-16

모든 실수 x에 대하여 함수 $y=f(x)$가 $x^2-3x-2<f(x)<x^2-3x+1$을 만족시킬 때, $\lim_{x\to\infty}\frac{f(x)}{x^2}$의 값을 구하시오. O △ X

유제 1-17

함수 $y=f(x)$가 $|xf(x)-2020| \leq |x-2|$를 만족시킬 때, $\lim_{x \to 2} f(x)$의 값을 구하시오.

O △ X

발전 예제 14

그림과 같이 세 점 A(0, 1), O(0, 0), B(x, 0)을 꼭짓점으로 하는 삼각형과 그 삼각형에 내접하는 원이 있다. 점 B가 x축을 따라 원점에 한없이 가까워질 때, 삼각형 AOB에 내접하는 원의 반지름의 길이 r에 대하여 $\frac{r}{x}$의 극한값을 구하시오. (단, $x>0$)

O △ X

유제 1-18

그림과 같이 직선 $y=x+1$ 위에 두 점 $\mathrm{A}(-1, 0)$과 $\mathrm{P}(t, t+1)$이 있다. 점 P를 지나고 직선 $y=x+1$에 수직인 직선이 y축과 만나는 점을 Q라 할 때, $\lim_{t\to\infty}\frac{\overline{\mathrm{AQ}}^2}{\overline{\mathrm{AP}}^2}$의 값을 구하시오.

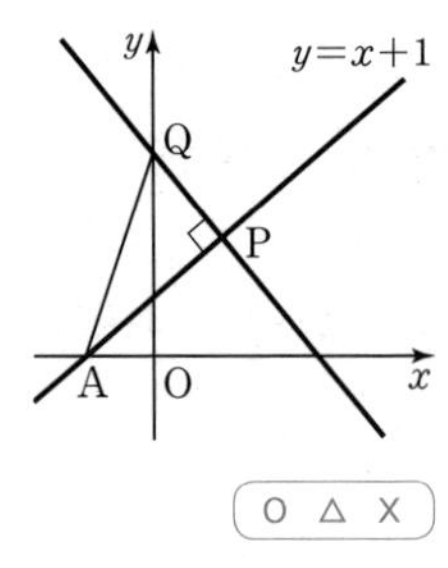

O △ X

아름다운 샘

1. 함수의 연속

(1) 함수 $y=f(x)$가 다음 세 조건

(i) $x=a$에서 정의되어 있고

(ii) $\lim_{x\to a} f(x)$가 존재하며

(iii) $\lim_{x\to a} f(x)=f(a)$

를 만족시킬 때, 함수 $y=f(x)$는 $x=a$에서 연속이라고 한다.

(2) 함수 $y=f(x)$가 $x=a$에서 연속이 아닐 때, 이 함수는 $x=a$에서 불연속이라고 한다.

2. 구간에서의 연속

함수 $y=f(x)$가

(i) 열린구간 (a, b)에서 연속이고

(ii) $\lim_{x\to a+} f(x)=f(a)$, $\lim_{x\to b-} f(x)=f(b)$

일 때, 함수 $y=f(x)$는 닫힌구간 $[a, b]$에서 연속이라고 한다.

3. 연속함수의 성질

두 함수 $y=f(x)$, $y=g(x)$가 모두 $x=a$에서 연속이면 다음 함수도 $x=a$에서 연속이다.

(1) $y=cf(x)$ (단, c는 상수)

(2) $y=f(x)\pm g(x)$

(3) $y=f(x)g(x)$

(4) $y=\dfrac{f(x)}{g(x)}$ (단, $g(a)\neq 0$)

4. 최대 · 최소 정리

함수 $y=f(x)$가 닫힌구간 $[a, b]$에서 연속이면 $y=f(x)$는 이 구간에서 반드시 최댓값과 최솟값을 갖는다.

5. 사잇값 정리

함수 $y=f(x)$가 닫힌구간 $[a, b]$에서 연속이고 $f(a)\neq f(b)$일 때, $f(a)$와 $f(b)$ 사이에 있는 임의의 실수 k에 대하여

$f(c)=k$

를 만족시키는 c가 열린구간 (a, b)에 적어도 하나 존재한다.

함수의 연속

필수 예제 1

다음 함수의 $x=1$에서의 연속성을 조사하시오.

(단, $[x]$는 x보다 크지 않은 최대의 정수이다.)

(1) $f(x)=\begin{cases} \dfrac{x^3-1}{x-1} & (x\neq1) \\ 3 & (x=1) \end{cases}$

O △ X

(2) $f(x)=[x]$

O △ X

유제 2-1

다음 함수의 $x=0$에서의 연속성을 조사하시오.

(1) $f(x)=\begin{cases} \dfrac{x^2-2x}{x} & (x\neq0) \\ -2 & (x=0) \end{cases}$

O △ X

(2) $f(x)=\begin{cases} \sqrt{x} & (x\geq0) \\ x & (x<0) \end{cases}$

O △ X

(3) $f(x)=\begin{cases} \dfrac{|x|}{x} & (x\neq0) \\ 0 & (x=0) \end{cases}$

(4) $f(x)=x-[x]$

O △ X

필수 예제 2

다음 함수 $y=f(x)$가 모든 실수 x에 대하여 연속이 되도록 하는 두 상수 a, b의 값을 구하시오.

(1) $f(x)=\begin{cases} x+a & (x>3) \\ x^2-x & (x\le 3) \end{cases}$

O △ X

(2) $f(x)=\begin{cases} ax+1 & (x\le -1,\ x\ge 2) \\ x^2-2x+b & (-1<x<2) \end{cases}$

O △ X

유제 2-2

다음 함수 $y=f(x)$가 모든 실수 x에 대하여 연속이 되도록 하는 두 상수 a, b의 값을 구하시오.

(1) $f(x)=\begin{cases} x^2+ax & (x>2) \\ x-4 & (x\le 2) \end{cases}$

O △ X

(2) $f(x)=\begin{cases} x(x-1) & (|x|>1) \\ -x^2+ax+b & (|x|\le 1) \end{cases}$

O △ X

아름다운 샘

필수 예제 3

함수 $f(x)=\begin{cases} \dfrac{x^2+ax+b}{x-1} & (x\neq1) \\ 2 & (x=1) \end{cases}$ 가 모든 실수 x에 대하여 연속이 되도록 하는 두 상수 a, b의 값을 구하시오.

O △ X

유제 2-3

다음 함수 $y=f(x)$가 모든 실수 x에 대하여 연속이 되도록 하는 두 상수 a, b의 값을 구하시오.

(1) $f(x)=\begin{cases} \dfrac{x^2+ax-6}{x-2} & (x\neq2) \\ b & (x=2) \end{cases}$

O △ X

(2) $f(x)=\begin{cases} \dfrac{x^2+ax+b}{x-3} & (x\neq3) \\ 4 & (x=3) \end{cases}$

O △ X

아름다운 샘

필수 예제 4

두 상수 a, b에 대하여 함수 $f(x)=\begin{cases} \dfrac{\sqrt{x+6}-a}{x-3} & (x\neq3) \\ b & (x=3) \end{cases}$가 $x=3$에서 연속일 때, $\dfrac{a}{b}$의 값을 구하시오.

O △ X

유제 2-4

함수 $f(x)=\begin{cases} \dfrac{a\sqrt{x+1}-b}{x-1} & (x>1) \\ 2x-1 & (x\leq1) \end{cases}$이 $x=1$에서 연속일 때, 두 상수 a, b의 합 $a+b$의 값을 구하시오.

O △ X

아름다운 샘

유제 2-5

함수 $f(x)=\begin{cases} \dfrac{\sqrt{x^2-x+2}-a}{x-2} & (x\neq2) \\ b & (x=2) \end{cases}$ 가 $x=2$에서 연속이 되도록 하는 두 상수 a, b의 값을 구하시오.

O △ X

필수 예제 5

실수 전체에서 연속인 함수 $y=f(x)$에 대하여 등식

$$(x-1)f(x)=x^2+ax-7$$

이 성립할 때, 상수 a의 값과 $f(1)$의 값을 구하시오.

O △ X

유제 2-6

모든 실수 x에 대하여 연속인 함수 $y=f(x)$가 등식

$$(x+3)f(x)=x^2+x-6$$

을 만족시킬 때, $f(-3)$의 값을 구하시오.

O △ X

유제 2-7

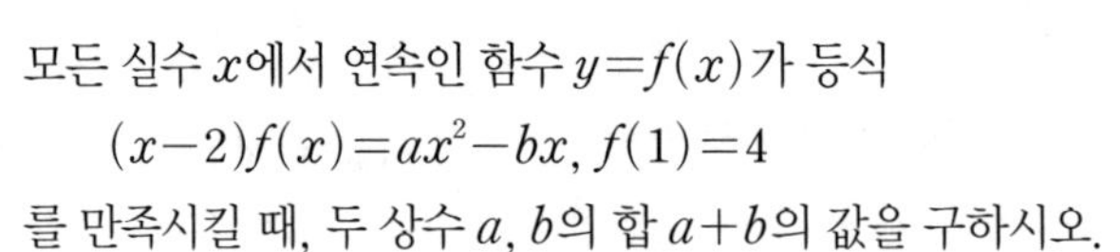

모든 실수 x에서 연속인 함수 $y=f(x)$가 등식

$$(x-2)f(x)=ax^2-bx,\ f(1)=4$$

를 만족시킬 때, 두 상수 a, b의 합 $a+b$의 값을 구하시오.

O △ X

2 연속함수의 성질

필수 예제 6

두 함수 $f(x)=\begin{cases} 2x & (x\geq 1) \\ -x+1 & (x<1) \end{cases}$, $g(x)=x^2+a$에 대하여 함수 $y=f(x)g(x)$가 모든 실수에서 연속이 되도록 하는 상수 a의 값을 구하시오.

O △ X

아름다운샘

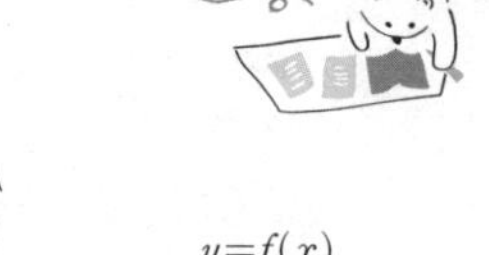

유제 2-8

두 함수 $f(x)=\begin{cases} x+3 & (x\geq -1) \\ -x & (x<-1) \end{cases}$, $g(x)=x^2+kx-3$에 대하여 함수 $y=f(x)g(x)$가 $x=-1$에서 연속일 때, 상수 k의 값을 구하시오.

O △ X

유제 2-9

$0\leq x\leq 4$에서 정의된 함수 $y=f(x)$의 그래프가 그림과 같을 때, 이 구간에서 함수 $g(x)=(x-2)f(x)$가 불연속인 x의 개수를 구하시오.

O △ X

필수 예제 7

두 함수 $f(x)=x^2-4x+k$, $g(x)=x^2-3x+2$에 대하여 함수 $y=\frac{g(x)}{f(x)}$가 실수 전체의 집합에서 연속이 되도록 하는 정수 k의 최솟값을 구하시오. ○ △ X

유제 2-10

두 함수 $f(x)=x^2+3$, $g(x)=x^2-5x+6$에 대하여 실수 전체의 집합에서 연속인 함수를 **보기**에서 있는 대로 고르시오. ○ △ X

보기

ㄱ. $y=2f(x)+g(x)$ ㄴ. $y=\frac{f(x)}{g(x)}$ ㄷ. $y=\frac{g(x)}{f(x)}$

아름다운 샘

유제 2-11

두 다항함수 $f(x)=x^2-4x+1$, $g(x)=x^2+ax+2a$에 대하여 함수 $h(x)=\dfrac{f(x)}{g(x)}$가 모든 실수에서 연속이 되도록 하는 정수 a의 값의 합을 구하시오.

O △ X

필수 예제 8

그림은 두 함수 $y=f(x)$, $y=g(x)$의 그래프이다. $x=1$에서 연속인 함수를 **보기**에서 있는 대로 고르시오.

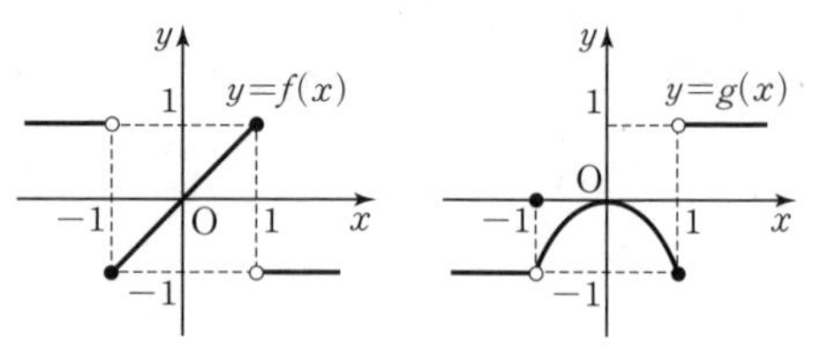

O △ X

보기

ㄱ. $y=f(x)+g(x)$　　ㄴ. $y=\dfrac{f(x)}{g(x)}$　　ㄷ. $y=f(x-2)g(x)$

유제 2-12

두 함수 $y=f(x)$, $y=g(x)$의 그래프가 그림과 같을 때, $x=-1$에서 연속인 함수를 **보기**에서 있는 대로 고르시오.

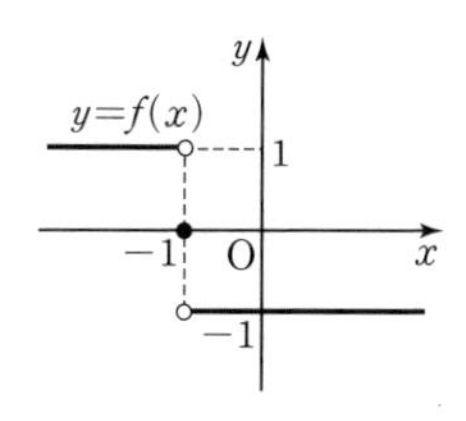

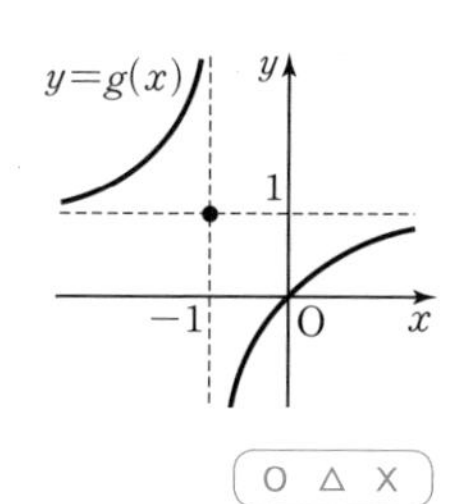

O △ X

보기

ㄱ. $y=f(x)g(x)$ ㄴ. $y=\dfrac{f(x)}{g(x)}$ ㄷ. $y=f(x)g(x+1)$

유제 2-13

두 함수 $y=f(x)$, $y=g(x)$의 그래프가 그림과 같을 때, **보기**에서 옳은 것만을 있는 대로 고르시오.

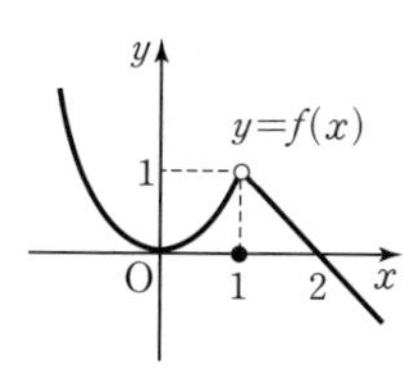

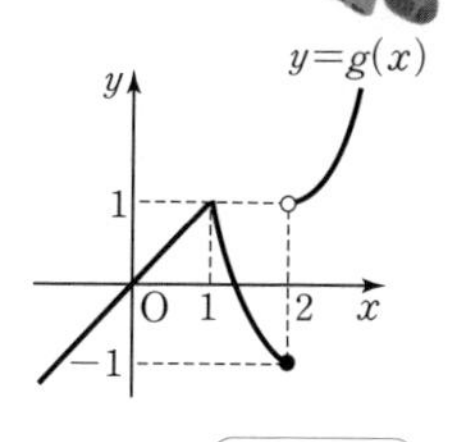

O △ X

보기

ㄱ. 함수 $y=f(x)g(x)$는 $x=1$에서 연속이다.

ㄴ. 함수 $y=f(x)+g(x)$는 $x=1$에서 불연속이다.

ㄷ. 함수 $y=\dfrac{f(x)}{\{g(x)\}^2}$는 $x=2$에서 연속이다.

아름다운 샘

필수 예제 9

두 함수 $y=f(x)$와 $y=g(x)$의 그래프가 그림과 같다. **보기**에서 옳은 것만을 있는 대로 고르시오.

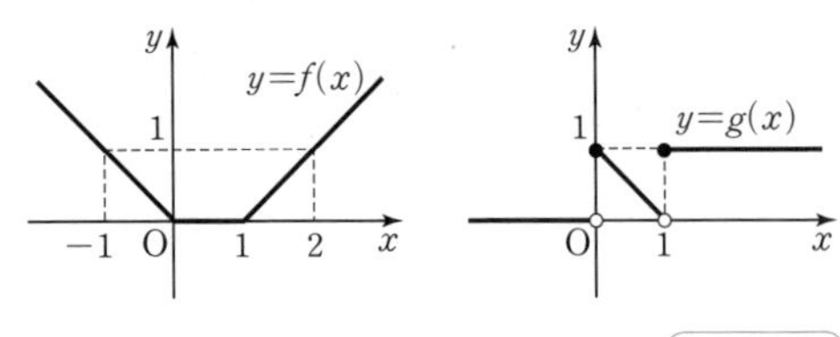

O △ X

보기

ㄱ. $\lim_{x\to 0} f(g(x))=0$

ㄴ. 함수 $y=f(g(x))$는 $x=0$에서 불연속이다.

ㄷ. $0<x<1$일 때, 함수 $y=f(g(x))$는 연속이다.

유제 2-14

두 함수 $y=f(x)$, $y=g(x)$의 그래프가 그림과 같을 때, **보기**에서 옳은 것만을 있는 대로 고르시오.

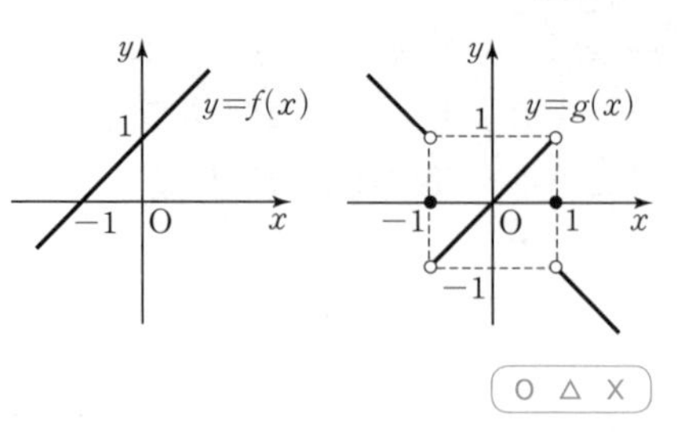

O △ X

보기

ㄱ. $\lim_{x\to 0} g(f(x))=0$　　ㄴ. $\lim_{x\to -1} g(f(x))=0$

ㄷ. 함수 $y=g(f(x))$는 $x=0$에서 불연속이고, $x=-1$에서 연속이다.

발전 예제 10

두 함수 $y=f(x)$, $y=g(x)$에 대하여 **보기**에서 옳은 것만을 있는 대로 고르시오.

O △ X

보기

ㄱ. $f(x)=\begin{cases} 1 & (x\geq 0) \\ -1 & (x<0) \end{cases}$, $g(x)=|x|$일 때, $y=(g\circ f)(x)$는 $x=0$에서 연속이다.

ㄴ. $y=(g\circ f)(x)$가 $x=0$에서 연속이면 $y=f(x)$는 $x=0$에서 연속이다.

ㄷ. $y=(f\circ f)(x)$가 $x=0$에서 연속이면 $y=f(x)$는 $x=0$에서 연속이다.

유제 2-15

실수 전체에서 정의된 두 함수 $y=f(x)$, $y=g(x)$에 대하여 **보기**에서 옳은 것만을 있는 대로 고르시오.

O △ X

보기

ㄱ. $y=f(x)$와 $y=g(x)$가 연속함수이면 $y=f(g(x))$도 연속함수이다.

ㄴ. $y=f(x)$와 $y=f(g(x))$가 연속함수이면 $y=g(x)$도 연속함수이다.

ㄷ. $y=f(x)$와 $y=f(x)+g(x)$가 연속함수이면 $y=g(x)$도 연속함수이다.

필수 예제 11

주어진 구간에서 다음 함수의 최댓값과 최솟값을 구하시오.

(1) $f(x)=x^2-x$ $[-1,\ 1]$

O △ X

(2) $f(x)=\dfrac{x+1}{x-1}$ $[2,\ 5]$

O △ X

유제 2-16

주어진 구간에서 다음 함수의 최댓값과 최솟값을 구하시오.

(1) $f(x)=\dfrac{1}{x-1}$ $[0,\ 2]$

O △ X

(2) $f(x)=\dfrac{x-1}{\sqrt{x+3}-2}$ $[-2,\ 0]$

O △ X

필수 예제 12

다음 방정식이 주어진 구간에서 실근을 가짐을 보이시오.

(1) $2x^3-3x^2-1=0$ $(1,\ 2)$ O △ X

(2) $x^3+x-3=0$ $(-1,\ 2)$ O △ X

유제 2-17

다음 방정식이 주어진 구간에서 실근을 가짐을 보이시오.

(1) $x^3+2x-5=0$ $(0,\ 2)$ O △ X

(2) $x^4+x^3-9x+1=0$ $(1,\ 3)$ O △ X

아름다운 샘

유제 2-**18**

닫힌구간 $[-1,\ 2]$에서 연속인 함수 $y=f(x)$가 $f(-1)f(1)<0$, $f(-1)f(2)>0$을 만족시킬 때, $-1<x<2$에서 방정식 $f(x)=0$은 적어도 n개의 실근을 갖는다. 이때, 정수 n의 값을 구하시오.

O △ X

아름다운 샘

1. 미분계수
   ① 평균변화율
   ② 미분계수
   ③ 미분계수의 기하학적 의미

2. 미분가능성과 연속성
   ① 미분가능
   ② 미분가능성과 연속성

1. 평균변화율

함수 $y=f(x)$에서 x의 값이 a에서 b까지 변할 때의 평균변화율은

$$\frac{\Delta y}{\Delta x}=\frac{f(b)-f(a)}{b-a}$$
$$=\frac{f(a+\Delta x)-f(a)}{\Delta x}$$

여기서 평균변화율은 두 점 $\mathrm{P}(a,\ f(a))$, $\mathrm{Q}(b,\ f(b))$를 지나는 직선의 기울기이다.

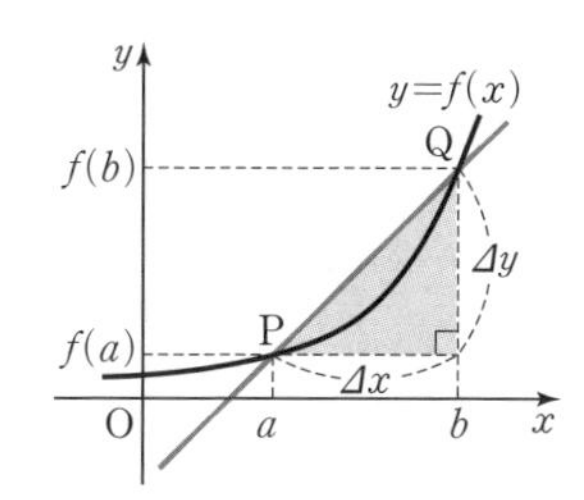

2. 미분계수

함수 $y=f(x)$의 $x=a$에서의 미분계수 $f'(a)$는

$$f'(a)=\lim_{\Delta x\to 0}\frac{f(a+\Delta x)-f(a)}{\Delta x}$$
$$=\lim_{x\to a}\frac{f(x)-f(a)}{x-a}$$

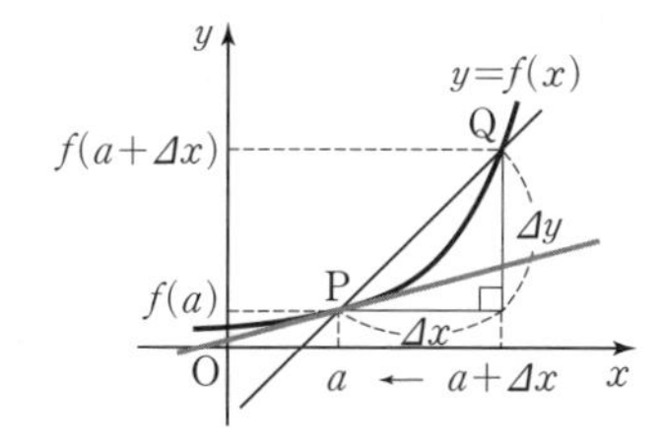

3. 미분계수와 접선의 기울기

함수 $y=f(x)$의 $x=a$에서의 미분계수 $f'(a)$가 존재할 때, 미분계수 $f'(a)$는 곡선 $y=f(x)$ 위의 점 $(a,\ f(a))$에서의 접선의 기울기와 같다.

4. 미분가능과 연속

(1) 함수 $y=f(x)$의 $x=a$에서의 미분계수 $f'(a)$가 존재할 때, 함수 $y=f(x)$는 $x=a$에서 미분가능하다고 한다.

(2) 함수 $y=f(x)$가 $x=a$에서 미분가능하면 함수 $y=f(x)$는 $x=a$에서 연속이다.
그러나 그 역은 성립하지 않는다.

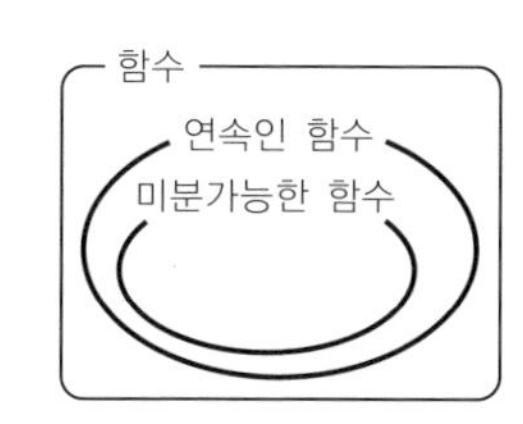

1 미분계수

필수 예제 1

함수 $f(x)=x^2-2x+4$에 대하여 다음 물음에 답하시오.

(1) x의 값이 1에서 3까지 변할 때의 평균변화율을 구하시오.

O △ X

(2) $x=a$에서의 미분계수를 구하시오.

O △ X

아름다운 샘

유제 3-1

함수 $f(x)=x^2+2x$에 대하여 x의 값이 a에서 $a+2$까지 변할 때의 평균변화율이 2일 때, 상수 a의 값을 구하시오.

O △ X

유제 3-2

함수 $f(x)=x^2-x$의 구간 $[1,\ 4]$에서의 평균변화율과 $x=a$에서의 미분계수가 같을 때, 상수 a의 값을 구하시오.

O △ X

아름다운샘

필수 예제 2

미분가능한 함수 $y=f(x)$에 대하여 $f'(a)=1$일 때, 다음 극한값을 구하시오.

(1) $\lim_{h\to0}\frac{f(a+2h)-f(a)}{h}$ O △ X

(2) $\lim_{h\to0}\frac{f(a+h^2)-f(a)}{3h}$ O △ X

유제 3-3

미분가능한 함수 $y=f(x)$에 대하여 $f'(a)=2$일 때, 다음 극한값을 구하시오.

(1) $\lim_{h\to0}\frac{f(a)-f(a-h)}{h}$ O △ X

(2) $\lim_{h\to0}\frac{f(a+3h)-f(a)}{h}$ O △ X

아름다운샘

유제 3-4

다항함수 $y=f(x)$에 대하여 $\lim_{h \to 0} \frac{f(a-3h)-f(a)}{2h}=4$일 때, $f'(a)$의 값을 구하시오.

O △ X

필수 예제 3

미분가능한 함수 $y=f(x)$에 대하여 $f'(a)=-2$일 때, 다음 극한값을 구하시오.

(1) $\lim_{h \to 0} \frac{f(a+3h)-f(a-h)}{h}$

O △ X

(2) $\lim_{h \to 0} \frac{f(a+2h)-f(a+h^2)}{h}$

O △ X

아름다운 샘

유제 3-5

미분가능한 함수 $y=f(x)$에 대하여 $f'(a)=2$일 때, 다음 극한값을 구하시오.

(1) $\lim_{h \to 0} \frac{f(a+5h)-f(a+3h)}{h}$ O △ X

(2) $\lim_{h \to 0} \frac{f(a+2h)-f(a-3h)}{h}$ O △ X

유제 3-6

미분가능한 함수 $y=f(x)$에 대하여 $\lim_{h \to 0} \frac{f(h)-f(-2h)}{2h}=6$일 때, $f'(0)$의 값을 구하시오. O △ X

아름다운 샘

필수 예제 4

미분가능한 함수 $y=f(x)$에 대하여 $f(1)=2$, $f'(1)=4$일 때, 다음 극한값을 구하시오.

(1) $\lim_{x\to1}\frac{f(x)-f(1)}{x^2-1}$ ○ △ X

(2) $\lim_{x\to1}\frac{f(x^2)-f(1)}{x-1}$ ○ △ X

(3) $\lim_{x\to1}\frac{x^3-1}{f(x)-2}$ ○ △ X

아름다운샘

유제 3-7

미분가능한 함수 $y=f(x)$에 대하여 $f'(1)=3$일 때, $\lim_{x\to1}\frac{f(x^3)-f(1)}{x-1}$의 값을 구하시오.

O △ X

유제 3-8

미분가능한 함수 $y=f(x)$에 대하여 $f(2)=1$, $f'(2)=3$일 때, 다음 극한값을 구하시오.

(1) $\lim_{x\to2}\frac{f(x)-f(2)}{x^2-4}$

O △ X

(2) $\lim_{x\to2}\frac{x^3-8}{f(x)-1}$

O △ X

필수 예제 5

미분가능한 함수 $y=f(x)$에 대하여 $f(2)=1$, $f'(2)=3$일 때, 다음 극한값을 구하시오.

(1) $\lim_{x\to2}\frac{4f(x)-x^2f(2)}{x-2}$ O △ X

(2) $\lim_{x\to2}\frac{2f(x)-x}{x-2}$ O △ X

유제 3-9

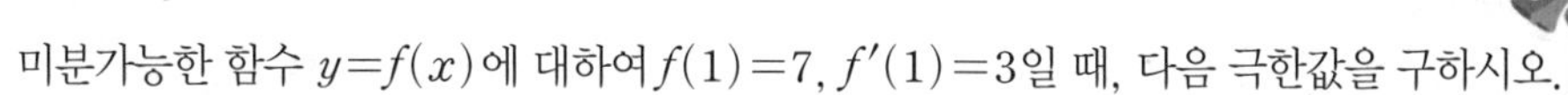

미분가능한 함수 $y=f(x)$에 대하여 $f(1)=7$, $f'(1)=3$일 때, 다음 극한값을 구하시오.

(1) $\lim_{x\to1}\frac{x^3f(1)-f(x^3)}{x-1}$ O △ X

(2) $\lim_{x\to1}\frac{f(x)-7x^2}{x-1}$ O △ X

발전 예제 6

다음 물음에 답하시오.

(1) 미분가능한 함수 $y=f(x)$에 대하여 $f'(a)=7$일 때, $\lim_{n\to\infty} n\left\{f\left(a+\frac{2}{n}\right)-f(a)\right\}$의 값을 구하시오.

O △ X

(2) 미분가능한 함수 $y=f(x)$에 대하여 $f'(1)=5$일 때,
$\lim_{n\to\infty} 3n\left\{f\left(\frac{n+2}{n}\right)-f\left(\frac{n+1}{n}\right)\right\}$의 값을 구하시오.

O △ X

유제 3-10

다항함수 $y=f(x)$에 대하여 $f'(1)=3$일 때, $\lim_{n\to\infty} n\left\{f\left(1+\frac{5}{n}\right)-f\left(1-\frac{5}{n}\right)\right\}$의 값을 구하시오.

O △ X

아름다운 샘

필수 예제 7

곡선 $y=x^2+x$ 위의 점 $(1, 2)$에서의 접선의 기울기를 구하시오.

O △ X

유제 3-11

다음 곡선 위의 주어진 점에서의 접선의 기울기를 구하시오.

(1) $y=-x^2+3x$ $(-1, -4)$

O △ X

(2) $y=x^3-2x$ $(2, 4)$

O △ X

유제 3-12

곡선 $f(x)=2x^2-3x+1$ 위의 점 $(a, f(a))$에서의 접선의 방정식이 $y=5x-7$일 때, a의 값을 구하시오.

O △ X

2 미분가능성과 연속성

필수 예제 8

함수 $f(x)=|x-2|$에 대하여 $x=2$에서의 연속성과 미분가능성을 조사하시오.

O △ X

유제 3-13

다음 함수의 $x=1$에서의 연속성과 미분가능성을 조사하시오.

(1) $f(x)=|x^2-1|$

O △ X

(2) $f(x)=\begin{cases} 2x^2-3 & (x\geq 1) \\ x-2 & (x<1) \end{cases}$

O △ X

아름다운 샘

필수 예제 9

그림은 $-2<x<5$에서 정의된 함수 $y=f(x)$의 그래프이다. 함수 $y=f(x)$에 대하여 다음 **보기**에서 옳은 것만을 있는 대로 고르시오.

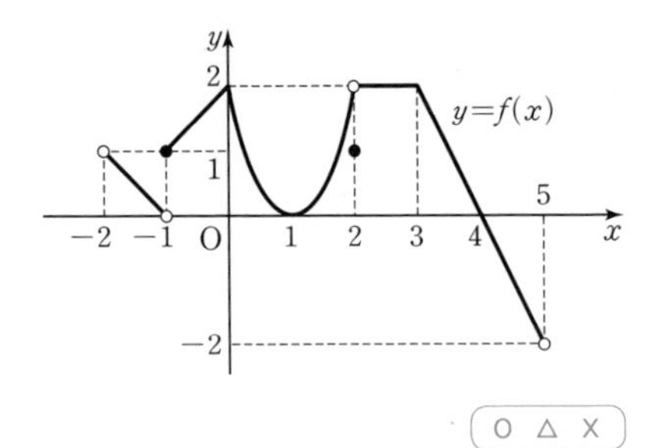

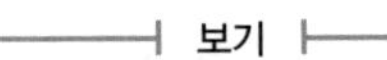

ㄱ. 극한값이 존재하지 않는 x의 값은 1개이다.
ㄴ. 미분가능하지 않은 x의 값은 3개이다.
ㄷ. 연속이지만 미분가능하지 않은 x의 값은 2개이다.

O △ X

유제 3-14

그림은 $-1<x<4$에서 정의된 함수 $y=f(x)$의 그래프이다. 함수 $y=f(x)$에 대하여 다음을 구하시오.

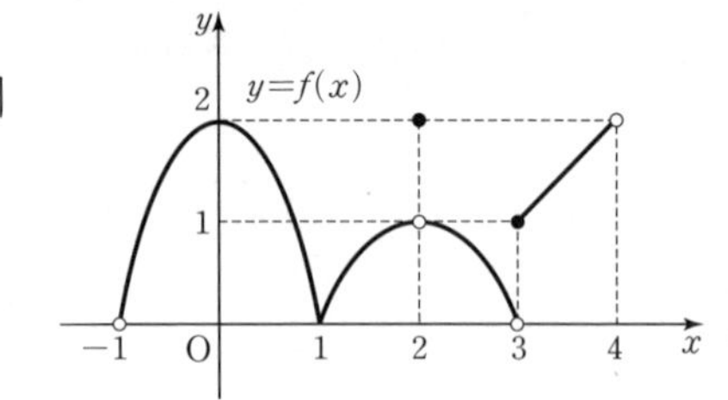

(1) 불연속인 x의 값

O △ X

(2) 미분가능하지 않은 x의 값

O △ X

아름다운 샘

필수 예제 10

함수 $f(x)=\begin{cases} x^2+1 & (x\geq 1) \\ ax+b & (x<1) \end{cases}$가 $x=1$에서 미분가능하도록 두 상수 a, b의 값을 정하시오.

O △ X

유제 3-15

함수 $f(x)=\begin{cases} ax^2 & (x\geq 2) \\ 2x+b & (x<2) \end{cases}$가 $x=2$에서 미분가능할 때, 두 상수 a, b에 대하여 $a+b$의 값을 구하시오.

O △ X

아름다운 샘

1. 도함수
   ① 도함수의 뜻
   ② 함수 $y=x^n$의 도함수

2. 다항함수의 미분법
   ① 실수배, 합, 차의 미분법
   ② 곱의 미분법

1. 도함수

미분가능한 함수 $y=f(x)$의 도함수 $y=f'(x)$는

$$f'(x)=\lim_{\Delta x \to 0}\frac{\Delta y}{\Delta x}=\lim_{\Delta x \to 0}\frac{f(x+\Delta x)-f(x)}{\Delta x}$$

2. 함수 $y=x^n$ 및 상수함수의 도함수

(1) 함수 $y=x^n$ (n은 자연수)의 도함수는 $y'=nx^{n-1}$

(2) 함수 $y=c$ (c는 상수)의 도함수는 $y'=0$

3. 실수배, 합, 차의 미분법

두 함수 f, g가 미분가능할 때,

(1) $y=cf(x)$이면 $y'=cf'(x)$ (단, c는 상수)

(2) $y=f(x)+g(x)$이면 $y'=f'(x)+g'(x)$

(3) $y=f(x)-g(x)$이면 $y'=f'(x)-g'(x)$

4. 곱의 미분법 (1)

두 함수 f, g가 미분가능할 때, 함수 $y=f(x)g(x)$의 도함수는

$$y'=f'(x)g(x)+f(x)g'(x)$$

5. 곱의 미분법 (2)

세 함수 f, g, h가 미분가능할 때, 함수 $y=f(x)g(x)h(x)$의 도함수는

$$y'=f'(x)g(x)h(x)+f(x)g'(x)h(x)+f(x)g(x)h'(x)$$

6. $\{f(x)\}^n$의 미분법

함수 $y=f(x)$가 미분가능할 때, 함수 $y=\{f(x)\}^n$ (n은 자연수)의 도함수는

$$y'=n\{f(x)\}^{n-1}f'(x)$$

도함수

필수 예제 1

도함수의 정의를 이용하여 다음 함수의 도함수와 $x=3$에서의 미분계수를 구하시오.

(1) $f(x)=3x^2-2x$ O △ X

(2) $f(x)=x^3+3x$ O △ X

아름다운 샘

유제 4-1

도함수의 정의를 이용하여 다음 함수의 도함수와 $x=5$에서의 미분계수를 구하시오.

(1) $f(x)=x^2-3x+5$ O △ X

(2) $f(x)=x^3-3x^2+2x+4$ O △ X

발전 예제 2

다항함수 $y=f(x)$가 모든 실수 x, y에 대하여

$$f(x+y)=f(x)+f(y)-3xy+1$$

을 만족시키고 $f'(0)=2$일 때, $f'(1)$의 값을 구하시오. 

유제 4-2

실수 전체의 집합에서 미분가능한 함수 $y=f(x)$가 임의의 두 실수 x, y에 대하여

$$f(x+y)=f(x)+f(y)+2xy$$

를 만족시키고 $f'(0)=5$일 때, $f'(x)$를 구하시오. 

2 다항함수의 미분법

필수 예제 3

다음 함수를 미분하시오.

(1) $y=3x^2+x-5$

O △ X

(2) $y=2x^4-4x^3+7$

O △ X

(3) $y=(2x^3+x)(x^2-x)$

O △ X

(4) $y=(x^2+1)(2x-1)(x-1)$

O △ X

아름다운샘

유제 4-3

다음 함수를 미분하시오.

(1) $y=x^5+4x^3-3x+2$ O △ X

(2) $y=\frac{1}{4}x^4+\frac{1}{3}x^3-x+5$ O △ X

(3) $y=(2x^2+1)(x^2-1)$ O △ X

(4) $y=(2x-1)(3x^2+1)(x+2)$ O △ X

필수 예제 4

다음 물음에 답하시오.

(1) 함수 $f(x)=(x^2+1)(x^2+x-2)$에 대하여 $f'(2)$의 값을 구하시오. O △ X

(2) 함수 $f(x)=\begin{cases} x^3+4x & (x<1) \\ 3x^2+x+1 & (x\geq 1) \end{cases}$에 대하여 $f'(-1)+f'(2)$의 값을 구하시오.

O △ X

유제 4-4

함수 $f(x)=(3x+2)(2x^2+x+5)$에 대하여 $f'(-1)$의 값을 구하시오. O △ X

아름다운 샘

유제 4-5

함수 $f(x)=x|x|$에 대하여 $f'(-1)+f'(0)+f'(1)$의 값을 구하시오. (O △ X)

필수 예제 5

다음 물음에 답하시오.

(1) 함수 $f(x)=\frac{1}{3}x^3-ax^2+4x+1$에 대하여 $f'(1)=-3$일 때, 상수 a의 값을 구하시오. (O △ X)

(2) 함수 $f(x)=x^3+x^2+ax+b$에 대하여 $f(1)=3$, $f'(1)=2$가 성립할 때, $b-a$의 값을 구하시오. (단, a, b는 상수이다.) (O △ X)

아름다운 샘

유제 4-6

함수 $f(x)=x^2+ax+b$에 대하여 $f(1)=3$, $f'(2)=1$이 성립할 때, ab의 값을 구하시오.

(단, a, b는 상수이다.)

O △ X

유제 4-7

두 곡선 $y=x^3-ax$, $y=ax^2+b$가 $x=1$인 점에서 서로 접하도록 두 상수 a, b의 값을 정할 때, ab의 값을 구하시오.

O △ X

아름다운 샘

필수 예제 6

다음 물음에 답하시오.

(1) 함수 $f(x)=x^4+4x^2+1$에 대하여 $\lim_{h\to 0}\frac{f(1+3h)-f(1)}{h}$의 값을 구하시오.

O △ X

(2) 함수 $f(x)=2x^3-3x^2+x-1$에 대하여 $\lim_{h\to 0}\frac{f(1+2h)-f(1+h)}{h}$의 값을 구하시오.

O △ X

유제 4-8

함수 $f(x)=x^2-x+5$에 대하여 $\lim_{h\to 0}\frac{f(1-2h)-f(1)}{3h}$의 값을 구하시오.

O △ X

유제 4-9

함수 $f(x)=x^3-2x$에 대하여 $\lim_{h \to 0} \frac{f(2+h)-f(2+3h)}{h}$의 값을 구하시오. O △ X

유제 4-10

함수 $f(x)=x^3+2x^2-3x+1$에 대하여 $\lim_{n \to \infty} n\left\{f\left(\frac{3}{n}+1\right)-f(1)\right\}$의 값을 구하시오.

O △ X

아름다운 샘

필수 예제 7

다음 물음에 답하시오.

(1) 함수 $f(x)=x^3-x^2+4x+3$에 대하여 $\lim_{x\to2}\frac{f(x)-f(2)}{x^3-8}$의 값을 구하시오.

O △ X

(2) 함수 $f(x)=(x+3)(2x^2-x+4)$에 대하여 $\lim_{x\to1}\frac{f(x^2)-xf(1)}{x-1}$의 값을 구하시오.

O △ X

유제 4-11

함수 $f(x)=2x^3-x+1$에 대하여 $\lim_{x\to1}\frac{x^2-1}{f(x)-f(1)}$의 값을 구하시오.

O △ X

유제 4-12

함수 $f(x)=(x+2)(3x^2-5x+1)$에 대하여 $\lim_{x\to 2}\frac{x^2f(2)-4f(x)}{x-2}$의 값을 구하시오.

O △ X

필수 예제 8

다음 물음에 답하시오.

(1) 함수 $f(x)=x^3+ax^2-4x+3$에 대하여 $\lim_{h\to 0}\frac{f(3+h)-f(3)}{h}=11$일 때, 상수 a의 값을 구하시오.

O △ X

(2) 함수 $f(x)=x^3+ax^2+bx$에 대하여 $f(1)=5$, $\lim_{x\to 1}\frac{f(x)-f(1)}{x^2-1}=3$이 성립할 때, $f'(2)$의 값을 구하시오. (단, a, b는 상수이다.)

O △ X

아름다운 샘

유제 4-13

함수 $f(x)=x^3+ax^2+bx+1$에 대하여

$$\lim_{h\to 0}\frac{f(1+h)-f(1)}{h}=6,\ \lim_{h\to 0}\frac{f(-2-h)-f(-2)}{h}=-3$$

이 성립할 때, $a+b$의 값을 구하시오. (단, a, b는 상수이다.)

O △ X

유제 4-14

함수 $f(x)=x^3+2ax^2+bx$에 대하여

$$\lim_{x\to 1}\frac{f(x)-f(1)}{x-1}=-1,\ \lim_{x\to 2}\frac{f(x)-f(2)}{x^2-4}=4$$

를 만족시킬 때, 두 상수 a, b의 값을 구하시오.

O △ X

필수 예제 9

다항함수 $y=g(x)$가

$$\lim_{x\to1}\frac{g(x)-3}{x-1}=4$$

를 만족시킬 때, 함수 $f(x)=x^3g(x)$에 대하여 $f'(1)$의 값을 구하시오. O △ X

유제 4-15

두 다항함수 $y=f(x)$, $y=g(x)$에 대하여 $f(x)=(x^2+1)g(x)$를 만족시킨다.
$f'(1)=10$, $g(1)=2$일 때, $g'(1)$의 값을 구하시오. O △ X

유제 4-16

두 다항함수 $y=f(x)$, $y=g(x)$가 등식

$$\lim_{x \to 3} \frac{f(x)-2}{x-3}=1,\ \lim_{x \to 3} \frac{g(x)-1}{x-3}=2$$

를 만족시킬 때, 함수 $y=f(x)g(x)$의 $x=3$에서의 미분계수를 구하시오. O △ X

발전 예제 10

다음 물음에 답하시오.

(1) $\lim_{x \to 1} \frac{x^{10}+x^2+x-3}{x-1}$의 값을 구하시오. O △ X

(2) $\lim_{x \to 1} \frac{x^n+3x-4}{x-1}=11$일 때, 자연수 n의 값을 구하시오. O △ X

유제 4-17

$\lim_{x\to1}\frac{x^{10}-3x+2}{x-1}$의 값을 구하시오.

O △ X

유제 4-18

$\lim_{x\to1}\frac{x^n+x^3+x^2-3}{x^2+x-2}=4$가 되도록 하는 자연수 n의 값을 구하시오.

O △ X

아름다운 샘

필수 예제 11

함수 $f(x)=\begin{cases} 2x-3 & (x<1) \\ ax^2+b & (x\geq 1) \end{cases}$가 $x=1$에서 미분가능할 때, 두 상수 a, b의 값을 구하시오.

O △ X

유제 4-19

함수 $f(x)=\begin{cases} ax^3 & (x<2) \\ bx-16 & (x\geq 2) \end{cases}$이 $x=2$에서 미분가능할 때, 두 상수 a, b의 값을 구하시오.

O △ X

유제 4-20

함수 $f(x)=\begin{cases} ax^3+b^2 & (x\geq 1) \\ bx^2+ax+b & (x<1) \end{cases}$가 $x=1$에서 미분가능할 때, 두 상수 a, b의 값을 구하시오. (단, $a\neq 0$)

O △ X

12

다음 물음에 답하시오.

(1) 다항식 $x^{10}+ax+b$가 $(x+1)^2$으로 나누어떨어질 때, 두 상수 a, b의 값을 구하시오.

O △ X

(2) 다항식 x^{20}을 $(x-1)^2$으로 나누었을 때의 나머지를 구하시오.

유제 4-21

다항식 x^7-7x+a가 $(x-b)^2$으로 나누어떨어질 때, 두 양수 a, b의 값을 구하시오.

O △ X

유제 4-22

다항식 x^9-9x+8을 $(x-1)^2$으로 나누었을 때의 나머지를 구하시오. O △ X

아름다운샘

발전 예제 13

다음 함수를 미분하시오.

(1) $y=(2x^2+1)^{10}$

O △ X

(2) $y=(x^2+5x-7)^3$

O △ X

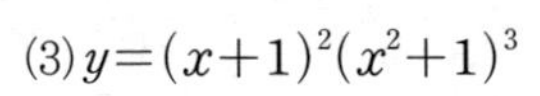

(3) $y=(x+1)^2(x^2+1)^3$

O △ X

유제 4-23

다음 함수를 미분하시오.

(1) $y=(5x-3)^7$ ○ △ X

(2) $y=(3x^3-4x^2+1)^5$ ○ △ X

(3) $y=(2x+1)^3(x+3)^4$ ○ △ X

아름다운샘

유제 4-24

함수 $f(x)=(x^3+1)^3(2x-1)$에 대하여 $f'(1)$의 값을 구하시오. (O △ X)

아름다운 샘

1. 접선의 방정식
   ① 접선의 기울기
   ② 접점이 주어진 접선의 방정식
   ③ 기울기가 주어진 접선의 방정식
   ④ 곡선 밖의 한 점에서 그은 접선의 방정식
   ⑤ 두 곡선의 공통접선

2. 평균값 정리
   ① 롤의 정리
   ② 평균값 정리

1. 접선의 방정식 (접점이 주어질 때)

곡선 $y=f(x)$ 위의 점 $\mathrm{P}(a, f(a))$에서의 접선의 방정식은

$$y-f(a)=f'(a)(x-a)$$

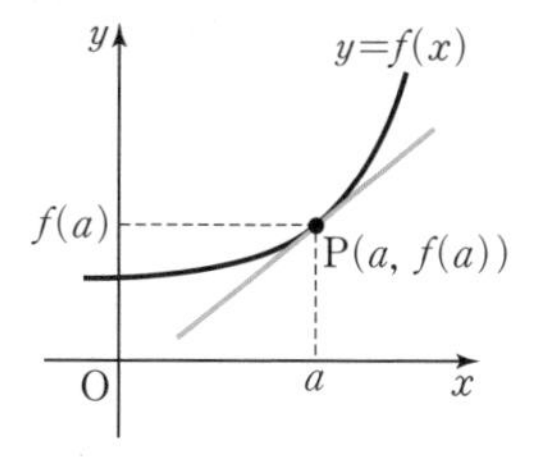

2. 접선의 방정식 (기울기가 주어질 때)

곡선 $y=f(x)$의 접선의 기울기 m이 주어졌을 때

① 접점의 좌표를 $(a, f(a))$로 놓는다.

② $f'(a)=m$임을 이용하여 접점의 좌표를 구한다.

③ $y-f(a)=m(x-a)$를 이용하여 접선의 방정식을 구한다.

3. 접선의 방정식 (곡선 밖의 한 점이 주어질 때)

곡선 $y=f(x)$ 밖의 한 점 (x_1, y_1)이 주어졌을 때

① 접점의 좌표를 $(a, f(a))$로 놓는다.

② $y-f(a)=f'(a)(x-a)$에 점 (x_1, y_1)의 좌표를 대입하여 a의 값을 구한다.

③ a의 값을 $y-f(a)=f'(a)(x-a)$에 대입하여 접선의 방정식을 구한다.

4. 롤의 정리

함수 $y=f(x)$가 닫힌구간 $[a, b]$에서 연속이고 열린구간 (a, b)에서 미분가능할 때, $f(a)=f(b)$이면 $f'(c)=0$인 c가 a와 b 사이에 적어도 하나 존재한다.

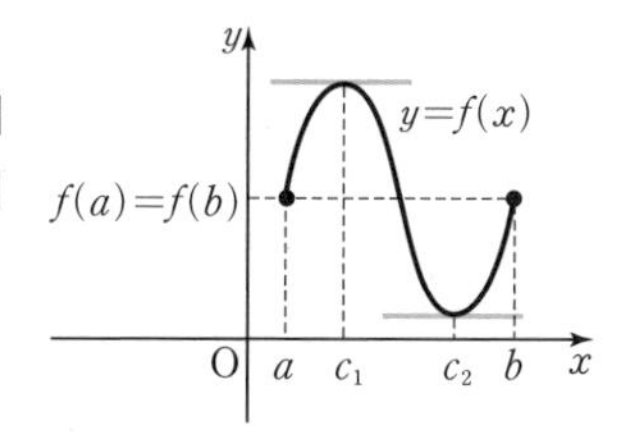

5. 평균값 정리

함수 $y=f(x)$가 닫힌구간 $[a, b]$에서 연속이고 열린구간 (a, b)에서 미분가능할 때,

$$\frac{f(b)-f(a)}{b-a}=f'(c)$$

가 되는 c가 a와 b 사이에 적어도 하나 존재한다.

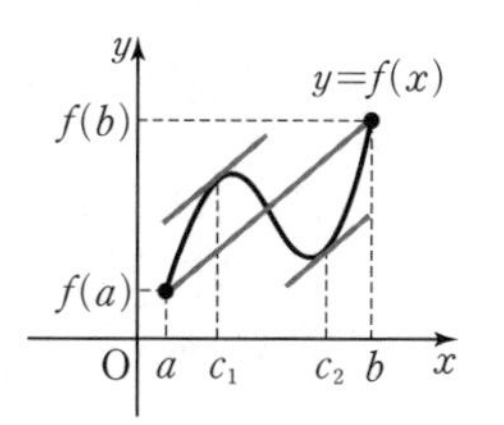

아름다운 샘

필수 예제 1

다음 물음에 답하시오.

(1) 곡선 $y=3x^2-4x+1$ 위의 점 $(2, 5)$에서의 접선의 기울기를 구하시오. O △ X

(2) 곡선 $y=x^3+ax+b$ 위의 점 $(1, -1)$에서의 접선의 기울기가 5일 때, 두 상수 a, b의 값을 구하시오. O △ X

아름다운 샘

유제 5-1

곡선 $y=x^2-2x-3$ 위의 한 점에서의 접선의 기울기가 4일 때, 그 접점의 좌표를 구하시오.

O △ X

유제 5-2

점 $(2, 5)$를 지나는 곡선 $y=x^3+ax+b$ 위의 $x=1$인 점에서의 접선의 기울기가 1일 때, 두 상수 a, b의 값을 구하시오.

O △ X

필수 예제 2

곡선 $y=x^3+2x^2-3x+1$에 대하여 다음 물음에 답하시오.

(1) 점 $(1, 1)$에서의 접선의 방정식을 구하시오. O △ X

(2) 점 $(1, 1)$에서의 법선의 방정식을 구하시오. O △ X

유제 5-3

점 $(1, 2)$에서 곡선 $y=x^3+2x^2-1$에 접하는 직선의 방정식을 구하시오. O △ X

유제 5-4

곡선 $y=x^3-x^2+3$ 위의 점 $(1, 3)$에서의 접선에 수직이고 그 점을 지나는 직선의 방정식을 구하시오.

O △ X

필수 예제 3

곡선 $y=x^2-3x+2$에 대하여 다음 물음에 답하시오.

(1) x축에 평행한 접선의 방정식을 구하시오.

O △ X

(2) 직선 $y=x-3$에 수직이고, 이 곡선에 접하는 직선의 방정식을 구하시오.

O △ X

아름다운 샘

유제 5-5

곡선 $y=-x^2+4x$에 접하고 직선 $x+2y-6=0$과 수직인 직선의 방정식을 구하시오.

O △ X

유제 5-6

곡선 $y=x^3-x+2$의 접선 중에서 직선 $y=2x-1$과 평행인 접선은 2개이다. 이 두 접선 사이의 거리를 구하시오.

O △ X

아름다운 샘

필수 예제 4

점 $(2, 4)$에서 곡선 $y=-x^2+2x+3$에 그은 접선의 방정식을 구하시오.

O △ X

유제 5-7

다음 주어진 점에서 곡선에 그은 접선의 방정식을 구하시오.

(1) $y=x^2-3x+4 \quad (0, 0)$

O △ X

(2) $y=x^3+2x \quad (0, 2)$

O △ X

유제 5-8

점 $(1,\ -6)$에서 곡선 $y=x^3-2$에 그은 접선이 점 $(3,\ k)$를 지날 때, k의 값을 구하시오.

O △ X

필수 예제 5

그림과 같이 점 $(0,\ 2)$에서 곡선 $y=x^3-2x$에 그은 접선이 곡선과 접하는 점을 A, 곡선과 만나는 점을 B라 할 때, 선분 AB의 길이를 구하시오.

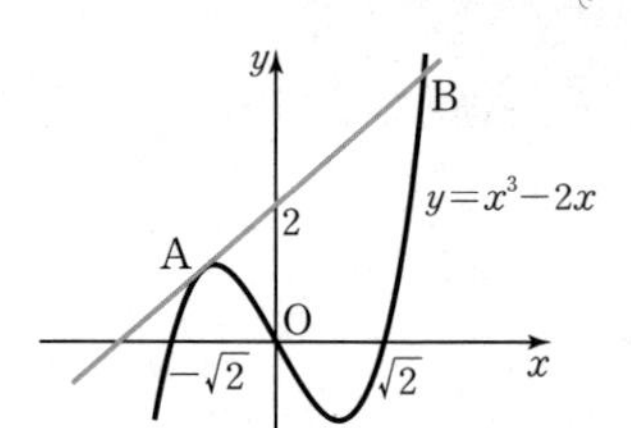

O △ X

아름다운샘

유제 5-9

점 P(1, 2)에서 곡선 $y=-x^2+x+1$에 그은 두 접선의 접점을 각각 Q, R라 할 때, 선분 QR의 길이를 구하시오.

O △ X

유제 5-10

좌표평면 위의 원점 O에서 곡선 $y=x^2+4$에 그은 두 접선의 접점과 원점 O가 이루는 삼각형의 넓이를 구하시오.

O △ X

아름다운샘

필수 예제 6

다음 물음에 답하시오.

(1) 곡선 $f(x)=x^3+ax+b$ 위의 점 $(0, -1)$에서의 접선의 방정식이 $y=2x-1$일 때, $a+b$의 값을 구하시오. (단, a, b는 상수이다.)

O △ X

(2) 곡선 $y=x^3-ax+2$가 직선 $y=5x$에 접할 때, 상수 a의 값을 구하시오.

O △ X

유제 5-11

곡선 $y=2x^3+ax$ 위의 $x=1$인 점에서의 접선의 방정식은 $y=7x+b$이다. 이때, 두 상수 a, b에 대하여 ab의 값을 구하시오.

O △ X

아름다운 샘

유제 5-12

직선 $y=ax-2$가 곡선 $y=x^3$에 접하도록 하는 상수 a의 값을 구하시오. O △ X

필수 예제 7

두 곡선 $f(x)=x^3-3x^2$, $g(x)=ax^2+bx$가 점 $(1,\ -2)$를 지나고, 이 점에서 공통접선을 가질 때, 두 상수 a, b의 값을 구하시오. O △ X

아름다운샘

유제 5-13

두 곡선 $f(x)=x^3+k$, $g(x)=3x^2$이 원점이 아닌 한 점 P에서 공통접선을 가질 때, 상수 k의 값을 구하시오.

O △ X

유제 5-14

두 곡선 $f(x)=x^4-4x+a$, $g(x)=-x^2+2x-a$가 오직 한 점에서 접할 때, 상수 a의 값을 구하시오.

O △ X

발전 예제 8

두 곡선 $y=x^3+2a$와 $y=ax^2+bx$가 만나는 점 $(1, c)$에서의 두 접선이 직교할 때, 상수 c의 값을 구하시오. (단, a, b는 상수이다.)

O △ X

유제 5-15

그림과 같이 양수 a에 대하여 곡선 $y=x^2$ 위의 점 $\mathrm{P}(a, a^2)$에서의 접선을 l, 점 P를 지나고 직선 l과 수직인 직선을 m이라 하자. 두 직선 l, m이 y축과 만나는 점을 각각 A, B라 할 때, 두 점 A, B 사이의 거리가 1이 되도록 하는 a의 값을 구하시오.

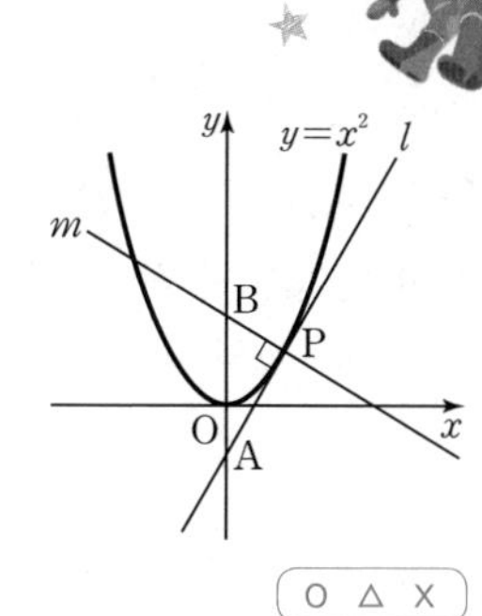

O △ X

아름다운 샘

유제 5-16

그림과 같이 점 P가 제1사분면에서 곡선 $y=x^3+2x+3$ 위를 움직인다. 두 점 $A(2, 7)$, $B(-1, -8)$에 대하여 삼각형 ABP의 넓이가 최소가 되도록 하는 점 P의 좌표를 $P(a, b)$라 할 때, $a+b$의 값을 구하시오.

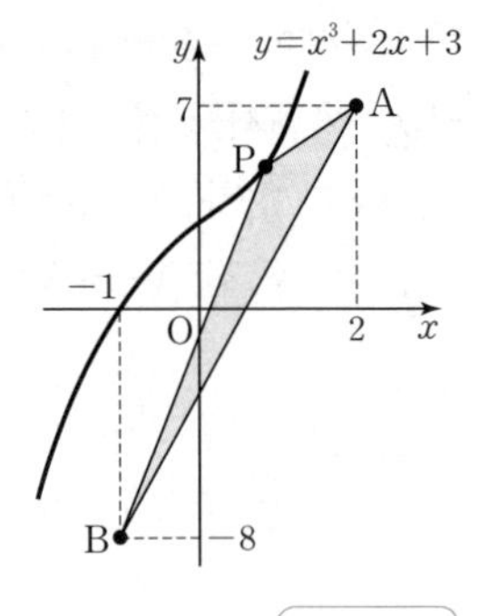

O △ X

2 평균값 정리

필수 예제 9

다음 함수에 대하여 주어진 구간에서 롤의 정리를 만족시키는 상수 c의 값을 구하시오.

(1) $f(x)=x^2-6x+1$ $\quad [1, 5]$

O △ X

(2) $f(x)=x^3+4x^2+5x+2$ $\quad [-2, -1]$

O △ X

유제 5-17

함수 $f(x)=-x^2+2x+3$에 대하여 닫힌구간 $[0, 2]$에서 롤의 정리를 만족시키는 상수 c의 값을 구하시오.

O △ X

아름다운 샘

유제 5-18

함수 $f(x)=\frac{1}{3}x^3-x^2-3x-5$에 대하여 닫힌구간 $[a, b]$에서 롤의 정리를 만족시키는 상수 c의 값이 2개일 때, 자연수 b의 최솟값을 구하시오. (단, $f(a)=f(b)$)

O △ X

필수 예제 10

다음 함수에 대하여 주어진 구간에서 평균값 정리를 만족시키는 상수 c의 값을 구하시오.

(1) $f(x)=x^2+3x$ $\quad[-1, 2]$

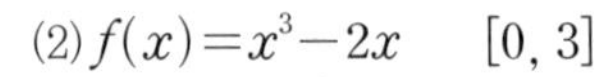

(2) $f(x)=x^3-2x$ $\quad[0, 3]$

유제 5-19

함수 $f(x)=\frac{1}{3}x^3-x^2+3x-1$의 도함수를 $y=g(x)$라 할 때, 함수 $y=g(x)$에 대하여 닫힌구간 $[0, 3]$에서 평균값 정리를 만족시키는 상수 c의 값을 구하시오. ○ △ X

유제 5-20

함수 $f(x)=x^2-4x+3$에 대하여 닫힌구간 $[2, a]$에서 평균값 정리를 만족시키는 상수 c의 값이 3일 때, a의 값을 구하시오. (단, $a>2$) ○ △ X

아름다운 샘

1. 함수의 증가와 감소
   ① 증가와 감소
   ② 함수의 증가와 감소
   ③ 증가, 감소에 따른 도함수의 부호

2. 함수의 극대와 극소
   ① 함수의 극대와 극소
   ② 극대 · 극소와 미분계수
   ③ 극대와 극소의 판정

3. 함수의 그래프와 최대 · 최소
   ① 함수의 그래프
   ② 함수의 최댓값과 최솟값

1. 증가와 감소

함수 $y=f(x)$가 어떤 구간의 임의의 두 수 x_1, x_2에 대하여

(1) $x_1<x_2$일 때, $f(x_1)<f(x_2)$이면 $y=f(x)$는 이 구간에서 증가한다고 한다.

(2) $x_1<x_2$일 때, $f(x_1)>f(x_2)$이면 $y=f(x)$는 이 구간에서 감소한다고 한다.

2. 함수의 증가와 감소

함수 $y=f(x)$가 어떤 구간에서 미분가능할 때, 그 구간의 모든 x에 대하여

(1) $f'(x)>0$이면 $y=f(x)$는 그 구간에서 증가한다.

(2) $f'(x)<0$이면 $y=f(x)$는 그 구간에서 감소한다.

3. 함수의 극대 · 극소

함수 $y=f(x)$가 $x=a$를 포함하는 어떤 열린구간에 속하는 모든 x에 대하여

(1) $f(x)\le f(a)$ ➡ $x=a$에서 극대, $f(a)$는 극댓값

(2) $f(x)\ge f(a)$ ➡ $x=a$에서 극소, $f(a)$는 극솟값

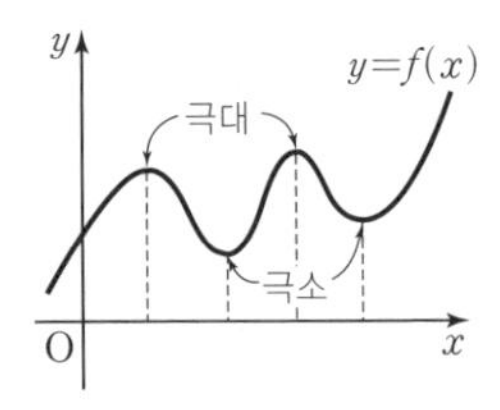

4. 극대 · 극소의 판정

함수 $y=f(x)$에 대하여 $f'(a)=0$이 되는 $x=a$의 좌우에서 $f'(x)$의 부호가

(1) 양 ➡ 음 으로 바뀌면 $y=f(x)$는 $x=a$에서 극대이다.

(2) 음 ➡ 양 으로 바뀌면 $y=f(x)$는 $x=a$에서 극소이다.

5. 함수의 최댓값과 최솟값

닫힌구간 $[a, b]$에서 연속인 함수 $y=f(x)$의 최댓값, 최솟값은 다음과 같은 순서로 구한다.

① 주어진 구간에서의 $y=f(x)$의 극댓값과 극솟값을 모두 구한다.

② 주어진 구간의 양 끝의 함숫값 $f(a)$, $f(b)$를 구한다.

③ 위에서 구한 극댓값, 극솟값, $f(a)$, $f(b)$의 크기를 비교하여,
가장 큰 값이 최댓값이고, 가장 작은 값이 최솟값이다.

아름다운샘

1 함수의 증가와 감소

필수 예제 1

다음 함수의 증가와 감소를 조사하시오.

(1) $f(x)=x^3-3x+1$ O △ X

(2) $f(x)=-x^4+4x^2+5$ O △ X

유제 6-1

다음 함수의 증가와 감소를 조사하시오.

(1) $f(x)=x^2-4x+2$ O △ X

(2) $f(x)=x^3+6x^2-15x+6$ O △ X

(3) $f(x)=-2x^3+6x-2$ O △ X

(4) $f(x)=x^4-x^2+3$ O △ X

아름다운 샘

유제 6-2

함수 $f(x)=-x^3+ax^2+bx+1$이 증가하는 구간이 $[2, 5]$일 때, 두 상수 a, b의 값을 구하시오. O △ X

필수 예제 2

다음 물음에 답하시오.

(1) 함수 $f(x)=x^3+3ax^2-ax+1$이 실수 전체의 구간에서 증가하도록 하는 실수 a의 값의 범위를 구하시오. O △ X

(2) 함수 $f(x)=-\frac{1}{3}x^3-\frac{3}{2}x^2+ax$가 구간 $(-\infty, \infty)$에서 감소하도록 하는 실수 a의 값의 범위를 구하시오. O △ X

아름다운 샘

유제 6-3

함수 $f(x)=2x^3+ax^2+ax+3$이 임의의 두 실수 x_1, x_2에 대하여

$x_1<x_2$이면 $f(x_1)<f(x_2)$

가 성립하기 위한 정수 a의 개수를 구하시오.

O △ X

유제 6-4

실수 전체의 집합 R에서 R로의 함수 $f(x)=x^3-ax^2+(a+6)x+3$이 역함수를 갖기 위한 실수 a의 값의 범위를 구하시오.

O △ X

필수 예제 3

다음 물음에 답하시오.

(1) 함수 $f(x)=-\frac{1}{3}x^3+4x^2+ax-3$이 구간 $(-1,\ 3)$에서 증가하도록 하는 실수 a의 값의 범위를 구하시오.

O △ X

(2) 함수 $f(x)=x^3-ax^2+3x-4$가 구간 $(1,\ 2)$에서 감소하도록 하는 실수 a의 값의 범위를 구하시오.

O △ X

유제 6-5

함수 $f(x)=-x^3+6x^2-ax+5$가 구간 $(1,\ 3)$에서 증가하도록 하는 실수 a의 최댓값을 구하시오.

O △ X

유제 6-6

함수 $f(x)=\frac{1}{3}x^3+ax^2-5x$가 구간 $(-2,\ 1)$에서 감소하도록 하는 정수 a의 개수를 구하시오.

O △ X

2 함수의 극대와 극소

필수 예제 4

다음 함수의 극값을 구하시오.

(1) $f(x)=x^3+3x^2-9x+4$ O △ X

(2) $f(x)=-x^3+3x^2+5$ O △ X

유제 6-7

다음 함수의 극값을 구하시오.

(1) $f(x)=x^3-9x$ O △ X

(2) $f(x)=-2x^3-3x^2+12x+7$ O △ X

필수 예제 5

다음 함수의 극값을 구하시오.

(1) $f(x)=3x^4+4x^3-12x^2+5$

O △ X

(2) $f(x)=x^4-4x^3+3$

O △ X

유제 6-8

다음 함수의 극값을 구하시오.

(1) $f(x)=3x^4-8x^3-6x^2+24x+1$

O △ X

(2) $f(x)=-3x^4-4x^3+2$

O △ X

필수 예제 6

다음 물음에 답하시오. (단, a, b는 상수이다.)

(1) 함수 $f(x)=x^3+ax^2-9x+3$이 $x=1$에서 극솟값을 가질 때, 극댓값을 구하시오.

O △ X

(2) 함수 $f(x)=x^3-\frac{1}{2}ax^2+bx$가 $x=1$에서 극댓값을 갖고, $x=2$에서 극솟값을 가질 때, 극댓값과 극솟값의 합을 구하시오.

O △ X

유제 6-9

함수 $f(x)=x^3+ax^2+bx+1$이 $x=1$에서 극댓값을 갖고, $x=3$에서 극솟값을 가질 때, 두 상수 a, b에 대하여 $a+b$의 값을 구하시오.

O △ X

유제 6-10

함수 $f(x)=-x^3+ax^2+bx$가 $x=1$에서 극값을 갖고, 곡선 $y=f(x)$ 위의 $x=2$인 점에서의 접선의 기울기가 3일 때, 두 상수 a, b에 대하여 $a-b$의 값을 구하시오. (O △ X)

필수 예제 7

다음 물음에 답하시오.

(1) 함수 $f(x)=2x^3-6x+a$의 극댓값이 9일 때, 상수 a의 값과 극솟값을 구하시오. (O △ X)

(2) 함수 $f(x)=-x^4+4x^3-4x^2+a$의 극솟값이 -3일 때, 상수 a의 값과 극댓값을 구하시오. (O △ X)

유제 6-11

함수 $f(x)=-2x^3+9x^2-12x+a$의 극솟값이 -2일 때, 상수 a의 값과 극댓값을 구하시오.

O △ X

유제 6-12

함수 $f(x)=x^3-3x^2+a$의 극댓값과 극솟값의 부호가 반대이고 절댓값이 같을 때, 상수 a의 값을 구하시오.

O △ X

필수 예제 8

다음 물음에 답하시오.

(1) 함수 $f(x)=x^3+2ax+b$가 $x=1$에서 극솟값 2를 가질 때, 두 상수 a, b의 값과 극댓값을 구하시오. (O △ X)

(2) 함수 $f(x)=-x^3+ax^2+bx+c$는 $x=1$에서 극댓값 8을 갖고, $x=-1$에서 극솟값을 갖는다고 한다. 이때, 세 상수 a, b, c의 값을 구하시오. (O △ X)

유제 6-13

함수 $f(x)=4x^3+3ax^2+b$가 $x=2$에서 극솟값 -7을 갖는다고 할 때, 두 상수 a, b의 값과 극댓값을 구하시오. (O △ X)

유제 6-14

함수 $f(x)=x^3+ax^2+bx+c$가 x축에 접하고 $x=0$에서 극댓값 4를 가질 때, 세 상수 a, b, c에 대하여 $a+b+c$의 값을 구하시오. O △ X

필수 예제 9

다음 물음에 답하시오.

(1) 함수 $f(x)=x^3+3ax^2+ax-5$가 극값을 가질 때, 상수 a의 값의 범위를 구하시오. O △ X

(2) 함수 $f(x)=\frac{1}{3}x^3+ax^2+2ax-3$이 극값을 갖지 않을 때, 상수 a의 값의 범위를 구하시오. O △ X

유제 6-15

다음 물음에 답하시오.

(1) 함수 $f(x)=x^3-ax^2+ax$가 극값을 가질 때, 상수 a의 값의 범위를 구하시오.

O △ X

(2) 함수 $f(x)=ax^3+3ax^2+12x-1$이 극값을 갖지 않을 때, 상수 a의 값의 범위를 구하시오.

O △ X

유제 6-16

함수 $f(x)=\frac{1}{2}x^4-2x^3+ax^2$이 극댓값을 가질 때, 상수 a의 값의 범위를 구하시오.

O △ X

아름다운샘

발전 예제 10

함수 $f(x)=2x^3+3x^2+kx-5$가 $-2<x<0$에서 극댓값을 갖고, $x>0$에서 극솟값을 갖도록 하는 실수 k의 값의 범위를 구하시오. (O △ X)

유제 6-17

삼차함수 $f(x)=x^3-ax^2+ax+1$이 $-1<x<1$에서 극댓값을 갖고, $x>1$에서 극솟값을 갖도록 하는 실수 a의 값의 범위를 구하시오. (O △ X)

아름다운 샘

유제 6-18

함수 $f(x)=\frac{1}{3}x^3+x^2+(k-1)x$가 $-2<x<1$에서 극댓값과 극솟값을 모두 갖도록 하는 실수 k의 값의 범위를 구하시오.

O △ X

3 함수의 그래프와 최대·최소

필수 예제 11

다음 함수의 극값을 구하고, 그래프를 그리시오.

(1) $f(x)=x^3+x^2-x+1$ O △ X

(2) $f(x)=-x^4+6x^2-8x-12$ O △ X

유제 6-19

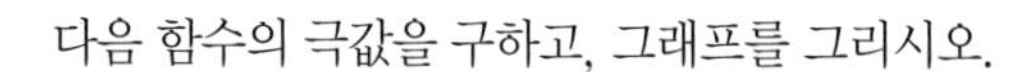
다음 함수의 극값을 구하고, 그래프를 그리시오.

(1) $f(x)=x^3-3x^2-9x+2$ O △ X

(2) $f(x)=3x^4+4x^3-12x^2+15$ O △ X

필수 예제 12

미분가능한 함수 $y=f(x)$의 도함수 $y=f'(x)$의 그래프가 그림과 같을 때, **보기**에서 옳은 것만을 있는 대로 고르시오.

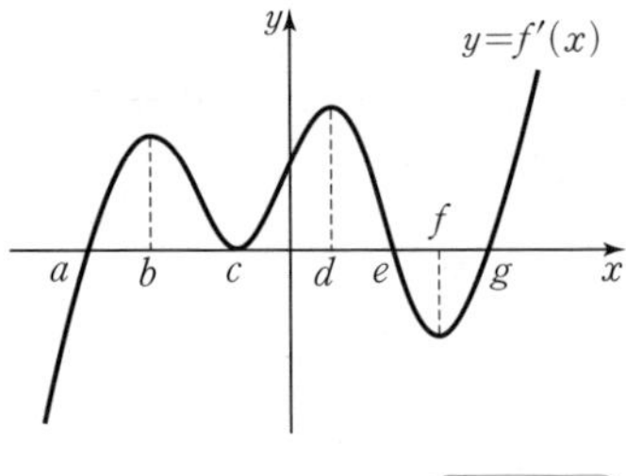

O △ X

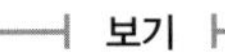

ㄱ. 함수 $y=f(x)$는 4개의 극값을 갖는다.
ㄴ. 함수 $y=f(x)$는 $x=d$에서 극댓값을 갖는다.
ㄷ. 함수 $y=f(x)$는 구간 $(d,\ e)$에서 증가한다.

유제 6-20

미분가능한 함수 $y=f(x)$에 대하여 함수 $y=f(x)$의 도함수 $y=f'(x)$의 그래프가 그림과 같다. 함수 $y=f(x)$가 극대가 되는 점의 개수를 α, 극소가 되는 점의 개수를 β라 할 때, $\alpha+\beta$의 값을 구하시오.

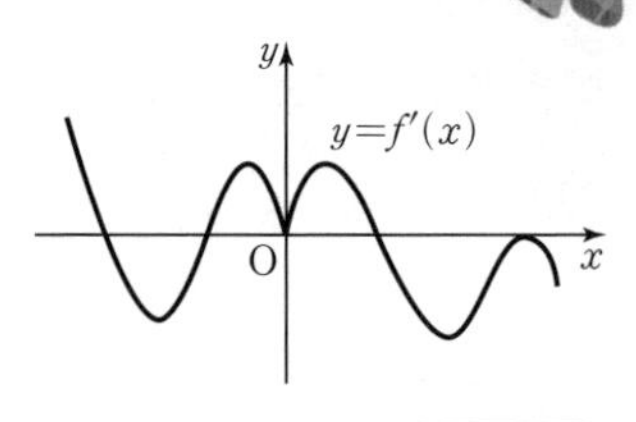

O △ X

유제 6-21

삼차함수 $y=f(x)$의 도함수 $y=f'(x)$의 그래프가 그림과 같다. 함수 $y=f(x)$의 극솟값이 -2이고, 극댓값이 2일 때, $f(1)$의 값을 구하시오.

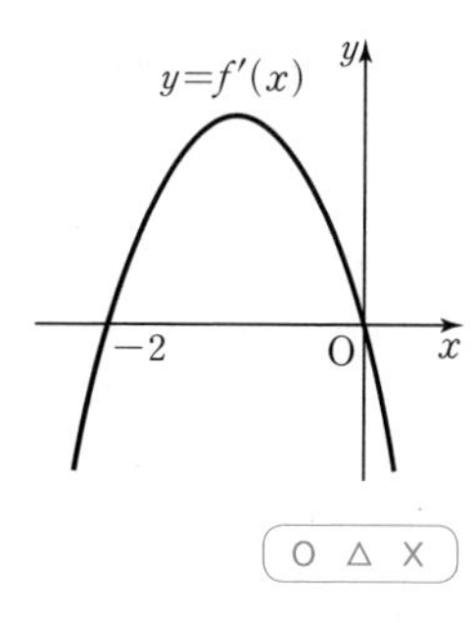

O △ X

발전 예제 13

구간 $[-3, 3]$에서 함수 $f(x)=x^3-3x+5$의 최댓값과 최솟값을 구하시오. O △ X

유제 6-22

구간 $[-1, 2]$에서 함수 $f(x)=-2x^3+3x^2+4$의 최댓값과 최솟값을 구하시오.

O △ X

유제 6-23

함수 $f(x)=-x^4+8x^3-16x^2+10$의 최댓값과 최솟값을 구하시오. O △ X

필수 예제 14

구간 $[-1, 2]$에서 함수 $f(x)=ax^3-6ax^2+b\ (a>0)$의 최댓값이 3이고, 최솟값이 -29일 때, 두 상수 a, b의 값을 구하시오.

O △ X

유제 6-24

구간 $[0, 4]$에서 함수 $f(x)=ax^3-3ax^2-3$의 최댓값이 1일 때, 최솟값을 구하시오.

(단, $a<0$)

O △ X

아름다운 샘

유제 6-25

구간 $[1, 4]$에서 함수 $f(x)=ax^4-4ax^3+b$의 최댓값이 3, 최솟값이 -6일 때, 두 상수 a, b에 대하여 ab의 값을 구하시오. (단, $a>0$)

O △ X

발전 예제 15

그림과 같이 곡선 $y=x(x-6)^2$이 x축과 만나는 두 점 O와 A 사이에 있는 곡선 위의 한 점 P에서 x축에 내린 수선의 발을 H라 할 때, 삼각형 POH의 넓이의 최댓값을 구하시오.

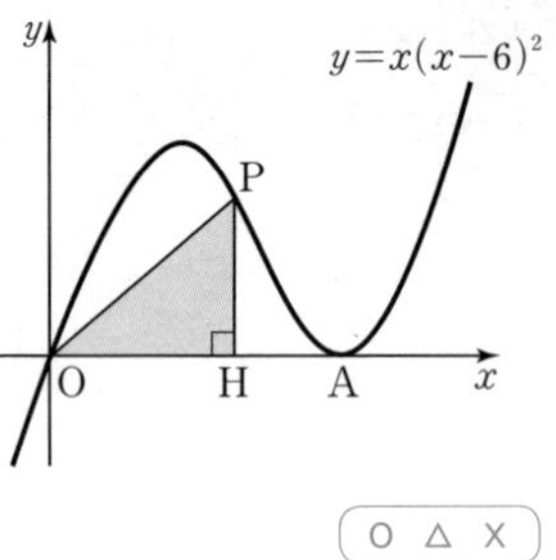

O △ X

아름다운 샘

유제 6-26

그림과 같이 곡선 $y=-x^2+3x\,(0<x<3)$ 위의 점 P에서 x축에 내린 수선의 발을 H라 하자. 삼각형 POH의 넓이가 최대일 때, 선분 OH의 길이를 구하시오.

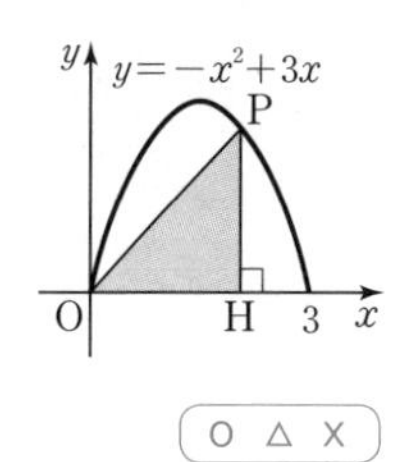

O △ X

유제 6-27

반지름의 길이가 $4\sqrt{3}$인 구에 내접하는 원기둥의 부피가 최대일 때, 원기둥의 높이를 구하시오.

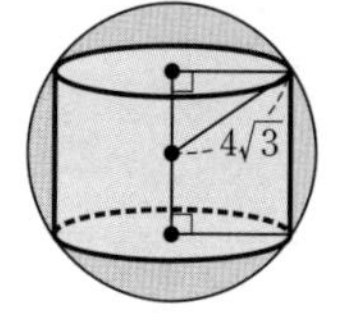

O △ X

1. 방정식과 부등식에의 활용
   ① 방정식에의 활용
   ② 삼차방정식의 근의 판별
   ③ 부등식에의 활용

2. 속도와 가속도
   ① 속도
   ② 가속도

1. 방정식의 실근의 개수

(1) 방정식 $f(x)=0$의 실근의 개수

$\iff$ 함수 $y=f(x)$의 그래프와 x축의 교점의 개수

(2) 방정식 $f(x)=g(x)$의 실근의 개수

$\iff$ 두 함수 $y=f(x)$, $y=g(x)$의 그래프의 교점의 개수

2. 삼차방정식의 근의 판별

삼차함수 $f(x)=ax^3+bx^2+cx+d$가 극값을 가질 때, 삼차방정식 $ax^3+bx^2+cx+d=0$의 근은

(1) (극댓값)×(극솟값)$<0 \iff$ 서로 다른 세 실근

(2) (극댓값)×(극솟값)$=0 \iff$ 한 실근과 중근 (두 개의 실근)

(3) (극댓값)×(극솟값)$>0 \iff$ 한 실근과 두 허근

3. 부등식의 증명

(1) 부등식 $f(x)>0$의 증명 ➡ ($f(x)$의 최솟값)>0임을 보인다.

(2) 부등식 $f(x)>g(x)$의 증명 ➡ ($f(x)-g(x)$의 최솟값)>0임을 보인다.

(3) $x>a$인 범위에서 부등식 $f(x)>0$의 증명

[방법1] $x>a$인 범위에서 ($f(x)$의 최솟값)>0임을 보인다.

[방법2] $x>a$인 범위에서 $y=f(x)$가 증가하고 $f(a)\geq 0$임을 보인다.

4. 직선 운동에서의 속도

수직선 위를 움직이는 점 P의 시각 t에서의 위치 x가 t에 관한 함수 $x=f(t)$로 나타내어질 때, 시각 t에서의 속도 v는

$$v=f'(t)=\frac{dx}{dt}=\lim_{\Delta t\to 0}\frac{f(t+\Delta t)-f(t)}{\Delta t}$$

5. 직선 운동에서의 가속도

수직선 위를 움직이는 점 P의 시각 t에서의 속도 v가 t에 관한 함수 $v=v(t)$로 나타내어질 때, 시각 t에서의 가속도 a는

$$a=v'(t)=\frac{dv}{dt}$$

방정식과 부등식에의 활용

필수 예제 1

다음 방정식의 서로 다른 실근의 개수를 구하시오.

(1) $x^3-3x^2+2=0$

O △ X

(2) $x^4-6x^2-8x+13=0$

O △ X

아름다운 샘

유제 7-1

다음 방정식의 서로 다른 실근의 개수를 구하시오.

(1) $x^3-6x^2+9x+4=0$ (O △ X)

(2) $2x^4-4x^2+1=0$ (O △ X)

필수 예제 2

방정식 $2x^3-3x^2-k=0$의 실근의 개수를 구하시오. (단, k는 실수이다.)

유제 7-2

방정식 $2x^3-9x^2+12x-k=0$의 실근의 개수를 구하시오. (단, k는 실수이다.) O △ X

유제 7-3

사차방정식 $3x^4-4x^3-12x^2+5-k=0$이 서로 다른 네 실근을 가질 때, 상수 k의 값의 범위를 구하시오. O △ X

아름다운샘

필수 예제 3

삼차방정식 $x^3-3x-a=0$에 대하여 다음 물음에 답하시오.

(1) 세 개의 서로 다른 실근을 갖도록 하는 실수 a의 값의 범위를 구하시오. O △ X

(2) 오직 하나의 실근을 가질 때, 실수 a의 값의 범위를 구하시오. O △ X

유제 7-4

삼차방정식 $x^3-3x^2-9x-a=0$에 대하여 다음 물음에 답하시오.

(1) 세 개의 서로 다른 실근을 갖도록 하는 실수 a의 값의 범위를 구하시오. O △ X

(2) 중근과 한 실근을 갖도록 하는 모든 실수 a의 값의 합을 구하시오. O △ X

필수 예제 4

두 곡선 $y=x^3-3x^2+4x$, $y=3x^2-5x+4a$가 서로 다른 세 점에서 만날 때, 상수 a의 값의 범위를 구하시오. O △ X

유제 7-5

두 곡선 $y=-x^3+2x^2+3x$, $y=x^2+2x+k$가 오직 한 점에서 만나도록 하는 자연수 k의 최솟값을 구하시오. O △ X

유제 7-6

두 곡선 $y=2x^3$, $y=3x^2+12x+k$가 $x=a$인 점에서 같은 직선에 접하고 다른 한 점에서 만날 때, $a+k$의 값을 구하시오. (단, $a>0$)

O △ X

필수 예제 5

방정식 $2x^3-6x+p=0$이 서로 다른 두 개의 음수인 근과 한 개의 양수인 근을 갖도록 하는 실수 p의 값의 범위를 구하시오.

O △ X

유제 7-7

방정식 $x^3-5x^2+2x=x^2-7x+a$가 서로 다른 세 개의 양수인 근을 갖도록 하는 정수 a의 개수를 구하시오.

O △ X

유제 7-8

방정식 $x^3-x^2=2x^2+9x+p$가 한 개의 음수인 근과 서로 다른 두 개의 양수인 근을 갖도록 하는 실수 p의 값의 범위를 구하시오.

O △ X

아름다운샘

필수 예제 6

모든 실수 x에 대하여 부등식 $2x^4-3x^2\geq x^2+k$가 성립하도록 하는 실수 k의 값의 범위를 구하시오.

O △ X

유제 7-9

모든 실수 x에 대하여 부등식 $x^4+2ax^2-4(a+1)x+a^2>0$이 성립하는 양의 정수 a의 최솟값을 구하시오.

O △ X

아름다운 샘

유제 7-10

두 함수 $f(x)=x^4+2x+a$, $g(x)=4x^3+2x$가 있다. 임의의 실수 x에 대하여 $f(x)\geq g(x)$가 성립하도록 하는 실수 a의 최솟값을 구하시오.

O △ X

필수 예제 7

다음 물음에 답하시오.

(1) 모든 양수 x에 대하여 부등식 $x^3-6x^2+k\geq 0$이 성립하도록 하는 실수 k의 값의 범위를 구하시오.

O △ X

(2) $x>1$인 모든 실수 x에 대하여 부등식 $x^3+3x^2+k>9x$가 성립하도록 하는 실수 k의 최솟값을 구하시오.

O △ X

유제 7-11

$x>2$에서 부등식 $\frac{1}{3}x^3-x^2+5x+k>0$이 항상 성립하기 위한 실수 k의 최솟값을 구하시오. (O △ X)

유제 7-12

구간 $[-2, 0]$에서 두 함수 $f(x)=x^4+x^2-6x$, $g(x)=-2x^2-16x+a$에 대하여 $f(x)>g(x)$가 성립하는 실수 a의 값의 범위를 구하시오. (O △ X)

필수 예제 8

원점을 출발하여 수직선 위를 움직이는 점 P의 t초 후의 위치가 $x=t^3-3t^2-9t$일 때, 다음 물음에 답하시오.

(1) 점 P의 속도가 15일 때, 가속도를 구하시오. O △ X

(2) 점 P가 운동 방향을 바꿀 때의 위치를 구하시오. O △ X

(3) 점 P의 가속도가 6일 때, 점 P의 위치를 구하시오. O △ X

유제 7-13

수직선 위를 움직이는 점 P의 시각 t에서의 위치가 $x=\frac{1}{3}t^3-\frac{5}{2}t^2+6t$일 때, 점 P가 출발한 후 처음으로 운동 방향을 바꿀 때의 가속도를 구하시오.

O △ X

유제 7-14

원점을 동시에 출발하여 수직선 위를 움직이는 두 점 P, Q의 t초 후의 좌표를 각각 x_1, x_2라 하면 $x_1=2t^3-9t^2$, $x_2=t^2+8t$이다. 점 P가 운동 방향을 바꾼 순간의 점 Q의 속도를 구하시오.

O △ X

아름다운샘

필수 예제 9

지면에서 처음 속도 $20\,\mathrm{m/s}$로 똑바로 위로 던진 물체의 t초 후의 높이를 $x\,\mathrm{m}$라 하면 $x=20t-5t^2$인 관계가 있다고 한다. 다음 물음에 답하시오.

(1) 물체를 던진 지 3초 후의 속도와 가속도를 구하시오. O △ X

(2) 물체가 도달하는 최고 높이를 구하시오. O △ X

유제 7-15

지면으로부터 $15\,\mathrm{m}$의 높이에서 초속 $10\,\mathrm{m}$로 똑바로 위로 던진 물체의 t초 후의 지면으로부터의 높이를 $s\,\mathrm{m}$라 하면 $s=15+10t-5t^2$인 관계가 있다고 한다. 다음 물음에 답하시오.

(1) 물체를 던진 지 2초 후의 속도와 가속도를 구하시오. O △ X

(2) 물체가 땅에 떨어지는 순간의 속도를 구하시오. O △ X

아름다운샘

(3) 물체가 최고 높이에 도달할 때의 높이를 구하시오.

O △ X

필수 예제 10

그림은 원점을 출발하여 수직선 위를 30초 동안 움직인 점 P의 속도 $v(t)$의 그래프이다. 다음 **보기** 중 옳은 것만을 있는 대로 고르시오.

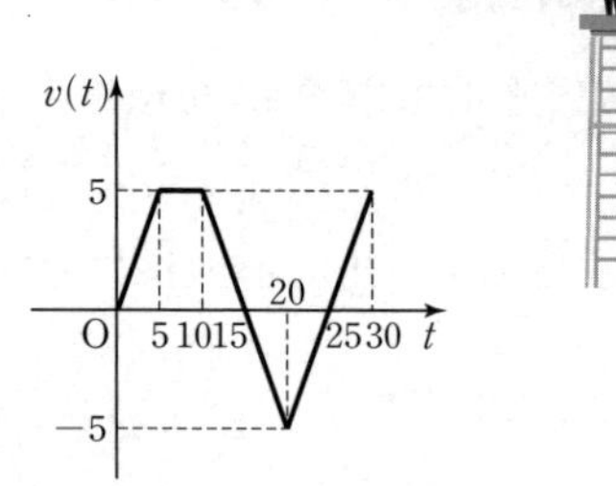

O △ X

보기

ㄱ. 점 P는 움직이는 동안 운동 방향을 2번 바꾸었다.

ㄴ. $10<t<20$에서 점 P의 가속도는 일정하다.

ㄷ. 출발 후 점 P의 속도가 0인 지점은 세 곳이다.

유제 7-16

원점을 출발하여 수직선 위를 움직이는 점 P의 시각 t에서의 속도 $v(t)$의 그래프가 그림과 같을 때, **보기**에서 옳은 것만을 있는 대로 고르시오.

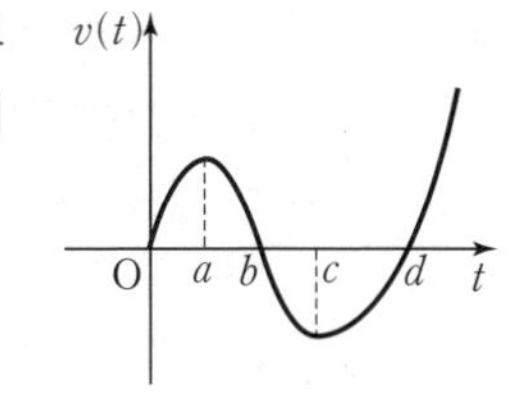

보기

ㄱ. $t=a$에서 점 P의 가속도는 0이다.
ㄴ. $a<t<b$일 때, 점 P의 속력은 감소한다.
ㄷ. $b<t<c$일 때, 점 P의 속력은 감소한다.

O △ X

발전 예제 11

그림과 같이 키가 180 cm인 사람이 지상으로부터 3 m 높이에 있는 가로등의 바로 밑에서 출발하여 매분 100 m의 속도로 일직선으로 걸어갈 때, 다음 물음에 답하시오.

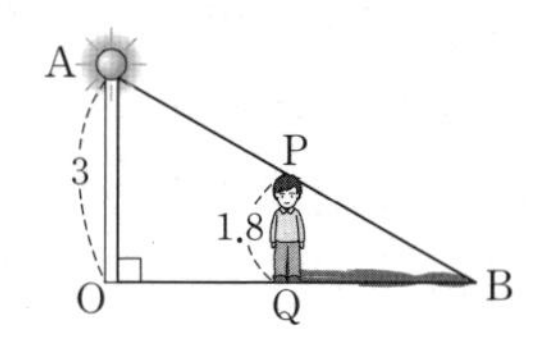

(1) 이 사람의 그림자 끝의 속도를 구하시오.

(단, 단위는 m/min이다.)

O △ X

(2) 그림자 길이의 변화율을 구하시오. (단, 단위는 m/min이다.)

O △ X

아름다운 샘

유제 7-17

잔잔한 호수면에 돌을 던지면 동심원 모양의 파문이 생긴다. 가장 바깥쪽 파문의 반지름의 길이가 0.4 m/s의 속력으로 커질 때, 돌을 던지고 나서 5초 후의 파문의 넓이의 변화율을 구하시오. (단, 단위는 m^2/s이다.)

O △ X

유제 7-18

반지름의 길이가 5 cm인 구 모양의 풍선이 있다. 이 풍선의 반지름의 길이가 매초 3 cm의 비율로 커지도록 공기를 넣는다고 할 때, 공기를 넣기 시작한 지 5초 후의 풍선의 부피의 변화율을 구하시오. (단, 단위는 cm^3/s이다.)

O △ X

1. 부정적분
   ① 부정적분의 뜻
   ② 적분과 미분의 관계

2. 다항함수의 부정적분
   ① 함수 $y=x^n$의 부정적분
   ② 함수의 실수배, 합, 차의 부정적분

1. 부정적분

(1) 함수 $y=f(x)$에 대하여 $F'(x)=f(x)$가 되는 $y=F(x)+C$ (C는 상수)를 $y=f(x)$의 부정적분이라 하고, 기호로

$$\int f(x)dx$$

와 같이 나타낸다.

(2) 함수 $y=f(x)$의 부정적분 중 하나를 $y=F(x)$라 하면

$$\int f(x)dx=F(x)+C \text{ (단, } C\text{는 적분상수)}$$

2. 적분과 미분의 관계

(1) $\frac{d}{dx}\int f(x)dx=f(x)$

(2) $\int\left\{\frac{d}{dx}f(x)\right\}dx=f(x)+C$ (단, C는 적분상수)

3. 함수 $y=x^n$의 부정적분

n이 음이 아닌 정수일 때,

$$\int x^n dx=\frac{1}{n+1}x^{n+1}+C \text{ (단, } C\text{는 적분상수)}$$

4. 함수의 실수배, 합, 차의 부정적분

두 함수 $y=f(x)$, $y=g(x)$에 대하여

(1) $\int kf(x)dx=k\int f(x)dx$ (단, k는 상수)

(2) $\int\{f(x)+g(x)\}dx=\int f(x)dx+\int g(x)dx$

(3) $\int\{f(x)-g(x)\}dx=\int f(x)dx-\int g(x)dx$

부정적분

필수 예제 1

다음 등식을 만족시키는 함수 $y=f(x)$를 구하시오. (단, C는 적분상수이다.)

(1) $\int f(x)dx=2x^2-5x+C$ O △ X

(2) $\int (x-3)f(x)dx=\frac{1}{3}x^3-2x^2+3x+C$ O △ X

아름다운 샘

유제 8-1

등식 $\int(ax^2-6x+3)dx=2x^3+bx^2+cx+2$를 만족시키는 세 상수 a, b, c의 값을 구하시오.

○ △ X

유제 8-2

함수 $y=f(x)$가 모든 실수 x에 대하여 $\int(x-1)f(x)dx=\frac{1}{4}x^4-x+C$를 만족시킬 때, $f(-2)$의 값을 구하시오. (단, C는 적분상수이다.)

○ △ X

필수 예제 2

다음 물음에 답하시오.

(1) 함수 $y=f(x)$에 대하여 $\dfrac{d}{dx}\displaystyle\int xf(x)dx=x^4-3x^2$일 때, $f(-1)$의 값을 구하시오.

O △ X

(2) $f(x)=\displaystyle\int\left\{\dfrac{d}{dx}(x^2+5x)\right\}dx$에서 $f(1)=2$일 때, 함수 $y=f(x)$를 구하시오.

O △ X

유제 8-3

모든 실수 x에 대하여

$$\frac{d}{dx}\int(2x^2+ax-3)dx=bx^2+x+c$$

가 성립할 때, 세 상수 a, b, c의 합 $a+b+c$의 값을 구하시오.

O △ X

아름다운 샘

유제 8-4

함수 $F(x)=\int\left\{\frac{d}{dx}(2x^3-3x)\right\}dx$에 대하여 $F(0)=3$일 때, $F(1)$의 값을 구하시오.

O △ X

2 다항함수의 부정적분

필수 예제 3

다음 부정적분을 구하시오.

(1) $\int(5x^3-3x^2-2)dx$ ○ △ X

(2) $\int(2y-1)(y+3)dy$ ○ △ X

(3) $\int(2x+t)dx$ ○ △ X

(4) $\int(3x^2-1)dx+\int(2x+5)dx$ ○ △ X

아름다운샘

유제 8-5

다음 부정적분을 구하시오.

(1) $\int (4x^3-2x+5)dt$ O △ X

(2) $\int (3t+2)(2t^2-1)dt$ O △ X

(3) $\int (x+t)^2 dt$ 

(4) $\int (x+3)^2 dx - \int (x-3)^2 dx$ 

필수 예제 4

다음 부정적분을 구하시오.

(1) $\int \frac{x^3+8}{x+2}dx$

O △ X

(2) $\int \frac{x^2}{x-2}dx-4\int \frac{1}{x-2}dx$

O △ X

유제 8-6

다음 부정적분을 구하시오.

(1) $\int \frac{x^2-2x-3}{x-3}dx$

O △ X

(2) $\int \frac{x^4+x^2+1}{x^2+x+1}dx$

O △ X

아름다운 샘

유제 8-7

다음 부정적분을 구하시오.

(1) $\int \frac{x^3+2x}{x-1}dx-\int \frac{2x+1}{x-1}dx$ O △ X

(2) $\int \frac{x^4}{x-1}dx+\int \frac{1}{1-x}dx$ O △ X

필수 예제 5

다음 물음에 답하시오.

(1) $f'(x)=3x^2-4x+5$이고 $f(0)=4$인 함수 $y=f(x)$를 구하시오. O △ X

(2) 곡선 $y=f(x)$ 위의 점 $(x, f(x))$에서의 접선의 기울기가 $4x-3$이고, 이 곡선이 점 $(1, 3)$을 지날 때, 이 곡선의 방정식을 구하시오. O △ X

아름다운샘

유제 8-8

$f'(x)=4x^3-6x^2+3$이고 $f(-1)=5$인 함수 $y=f(x)$를 구하시오.

O △ X

유제 8-9

곡선 $y=f(x)$ 위의 점 $(x, f(x))$에서의 접선의 기울기가 $9x^2-4x+5$이고, 이 곡선이 점 $(-2, 3)$을 지날 때, 이 곡선의 방정식을 구하시오.

O △ X

필수 예제 6

두 다항함수 $y=f(x)$, $y=g(x)$가

$$\frac{d}{dx}\{f(x)+g(x)\}=4x+2,\ \frac{d}{dx}\{f(x)-g(x)\}=4$$

를 만족시키고 $f(0)=-1$, $g(0)=4$일 때, $f(1)+g(2)$의 값을 구하시오. ㅇ △ X

유제 8-10

두 다항함수 $y=f(x)$, $y=g(x)$가

$$\frac{d}{dx}\{f(x)+g(x)\}=1,\ \frac{d}{dx}\{f(x)-g(x)\}=3$$

을 만족시키고 $f(0)=2$, $g(0)=1$일 때, $f(3)+g(1)$의 값을 구하시오. ㅇ △ X

유제 8-11

$f(0)=1$, $g(0)=-4$인 두 일차함수 $y=f(x)$, $y=g(x)$에 대하여

$$\frac{d}{dx}\{f(x)+g(x)\}=2,\ \frac{d}{dx}\{f(x)g(x)\}=2x-3$$

이 성립할 때, $f(2)-g(3)$의 값을 구하시오.

O △ X

필수 예제 7

모든 실수 x에 대하여 연속인 함수 $y=f(x)$의 도함수 $y=f'(x)$가

$$f'(x)=\begin{cases} 3x^2 & (x<2) \\ -2x+4 & (x>2) \end{cases}$$

이고 $f(-1)=1$일 때, $f(3)$의 값을 구하시오.

O △ X

아름다운샘

유제 8-12

연속함수 $y=f(x)$의 도함수 $y=f'(x)$가

$$f'(x)=\begin{cases} 4x+1 & (x<1) \\ -2x+3 & (x>1) \end{cases}$$

이고 $f(0)=1$일 때, $f(2)$의 값을 구하시오.

O △ X

유제 8-13

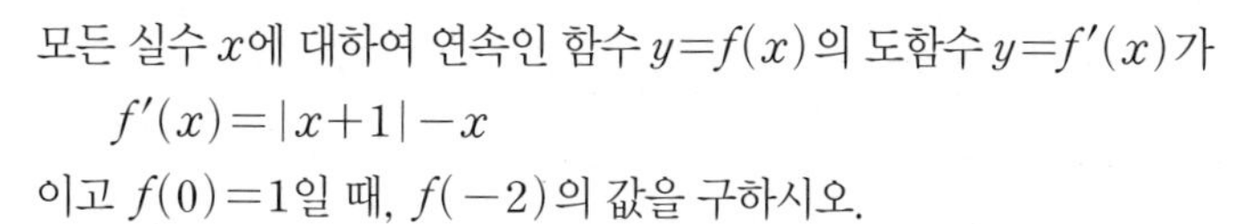

모든 실수 x에 대하여 연속인 함수 $y=f(x)$의 도함수 $y=f'(x)$가

$$f'(x)=|x+1|-x$$

이고 $f(0)=1$일 때, $f(-2)$의 값을 구하시오.

O △ X

아름다운샘

필수 예제 8

다항함수 $y=f(x)$와 그 부정적분 중의 하나인 $y=F(x)$ 사이에

$$F(x)=xf(x)-3x^4+5x^2-10$$

인 관계가 있다. $f(0)=5$일 때, 함수 $y=f(x)$를 구하시오.

O △ X

유제 8-14

다항함수 $y=f(x)$와 그 부정적분 중의 하나인 $y=F(x)$ 사이에

$$F(x)=xf(x)-3x^3+4x^2-12$$

인 관계가 있다. $f(0)=3$일 때, $f(2)$의 값을 구하시오.

O △ X

아름다운 샘

유제 8-15

이차함수 $y=f(x)$와 그 부정적분 중의 하나인 $y=F(x)$에 대하여

$$F(x)=f(x)+xf(x)+x^3+2x^2+x-3,\ f(0)=\frac{1}{2}$$

이 성립할 때, 함수 $y=f(x)$를 구하시오.

O △ X

필수 예제 9

다항함수 $y=f(x)$의 도함수가 $f'(x)=3x(x-4)$이다. 함수 $y=f(x)$의 극댓값이 5일 때, 극솟값을 구하시오.

O △ X

아름다운 샘

유제 8-16

다항함수 $y=f(x)$의 도함수가 $f'(x)=3(x+1)(x-3)$이다. 함수 $y=f(x)$의 극솟값이 -7일 때, 극댓값을 구하시오.

O △ X

유제 8-17

함수 $f(x)=\int(6x^2+ax-12)dx$가 $x=1$에서 극솟값 3을 가질 때, 극댓값을 구하시오.

O △ X

아름다운 샘

발전 예제 10

삼차함수 $y=f(x)$의 도함수 $y=f'(x)$의 그래프가 그림과 같고 함수 $y=f(x)$의 극댓값이 2, 극솟값이 -2일 때, 함수 $y=f(x)$를 구하시오.

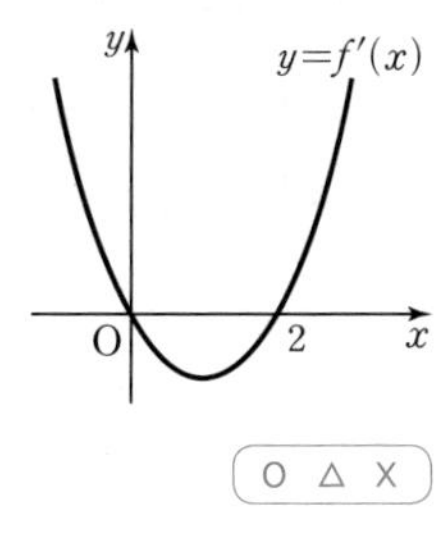

O △ X

유제 8-18

삼차함수 $y=f(x)$의 도함수 $y=f'(x)$의 그래프가 그림과 같고 함수 $y=f(x)$의 극댓값이 11, 극솟값이 2일 때, $f(6)$의 값을 구하시오.

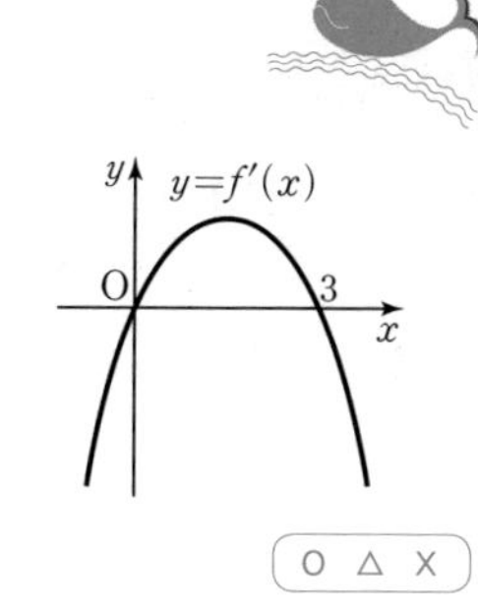

O △ X

발전 예제 11

미분가능한 함수 $y=f(x)$가 임의의 두 실수 x, y에 대하여

$$f(x+y)=f(x)+f(y)+4xy$$

를 만족시키고, $f'(0)=-1$일 때, 함수 $y=f(x)$를 구하시오. O △ X

유제 8-19

미분가능한 함수 $y=f(x)$가 임의의 두 실수 x, y에 대하여

$$f(x+y)=f(x)+f(y)+6xy(x+y)$$

를 만족시키고, $f'(0)=-3$일 때, 함수 $y=f(x)$를 구하시오. O △ X

1. 정적분
   ① 넓이와 미분의 관계
   ② 정적분의 뜻

2. 정적분의 성질
   ① 정적분의 성질
   ② 분할된 구간에서의 정적분

1. 넓이와 미분의 관계

함수 $y=f(t)$가 구간 $[a, b]$에서 연속이고 $a \le x \le b$일 때, 곡선 $y=f(t)$와 t축 및 두 직선 $t=a$, $t=x$로 둘러싸인 도형의 넓이를 $S(x)$라 하면

➡ $\frac{d}{dx}S(x)=f(x)$

2. 정적분의 정의

구간 $[a, b]$에서 연속인 함수 $y=f(x)$의 한 부정적분을 $y=F(x)$라 할 때,

$$\int_a^b f(x)dx=\Big[F(x)\Big]_a^b=F(b)-F(a)$$

이다. 이때, $\int_a^b f(x)dx$의 값 $F(b)-F(a)$를 $y=f(x)$의 a에서 b까지의 정적분이라고 한다.

3. 정적분의 기본 정의

(1) $a=b$일 때, $\int_a^b f(x)dx=0$

(2) $a>b$일 때, $\int_a^b f(x)dx=-\int_b^a f(x)dx$

4. 정적분의 성질

두 함수 $y=f(x)$, $y=g(x)$가 임의의 세 실수 a, b, c를 포함하는 구간에서 연속일 때,

(1) $\int_a^b kf(x)dx=k\int_a^b f(x)dx$ (단, k는 상수)

(2) $\int_a^b \{f(x) \pm g(x)\}dx=\int_a^b f(x)dx \pm \int_a^b g(x)dx$ (복부호 동순)

(3) $\int_a^c f(x)dx+\int_c^b f(x)dx=\int_a^b f(x)dx$

아름다운 샘

정적분

핵심 Note

필수 예제 1

다음 정적분의 값을 구하시오.

(1) $\int_{-1}^{2}(2x^3-x)dx$ O △ X

(2) $\int_{2}^{1}(3x^2-2x+1)dx$ O △ X

(3) $\int_0^1 (t-1)(t+3)dt$

O △ X

(4) $\int_2^2 (x^3-7x+3)dx$

O △ X

유제 9-1

다음 정적분의 값을 구하시오.

(1) $\int_0^1 (x^5-2x^2-1)dx$

O △ X

(2) $\int_{-1}^1 x(x-2)(x-3)dx$

O △ X

(3) $\int_{2}^{0}(y-1)(y-2)dy$

O △ X

(4) $\int_{2}^{1}\frac{x^3-1}{x-1}dx$

O △ X

유제 9-2

$\int_{1}^{a}(2x+5a)dx=-2$를 만족시키는 상수 a의 값을 구하시오.

O △ X

필수 예제 2

다음 물음에 답하시오.

(1) 임의의 실수 x에 대하여 $\int_{1}^{x} f(t)dt=x^2+2x-3$을 만족시키는 함수 $y=f(x)$를 구하시오.

O △ X

(2) 다항함수 $y=f(x)$가 $\int_{a}^{x} tf(t)dt=2x^3-5x^2+3$을 만족시킬 때, $f(2)$의 값을 구하시오. (단, a는 상수이다.)

O △ X

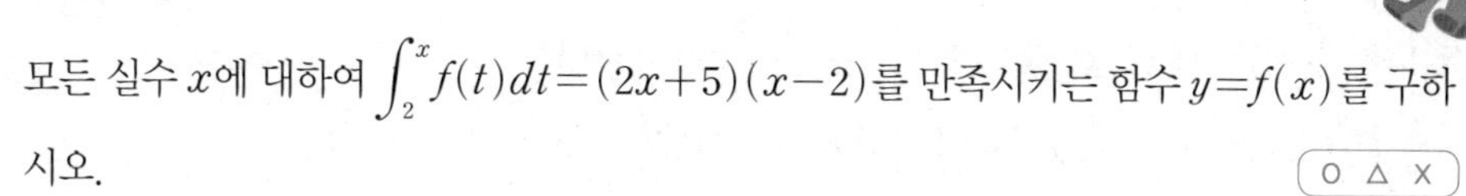

유제 9-3

모든 실수 x에 대하여 $\int_{2}^{x} f(t)dt=(2x+5)(x-2)$를 만족시키는 함수 $y=f(x)$를 구하시오.

O △ X

유제 9-4

두 다항함수 $y=f(x)$, $y=g(x)$가 모든 실수 x에 대하여

$$\int_1^x f(t)dt=2x^2+7x-9,\ \int_2^x \{f(t)+g(t)\}dt=2x^3+x^2-3x-14$$

를 만족시킬 때, $g(-1)$의 값을 구하시오.

O △ X

필수 예제 3

다음 물음에 답하시오.

(1) 다항함수 $y=f(x)$가 모든 실수 x에 대하여 $\int_1^x f(t)dt=x^2-5x+a$를 만족시킬 때, $\int_0^a f(x)dx$의 값을 구하시오. (단, a는 상수이다.)

O △ X

(2) 다항함수 $y=f(x)$가 $\int_a^x f(t)dt=x^2-2x-8$을 만족시킬 때, 양수 a에 대하여 $f(a)$의 값을 구하시오.

O △ X

아름다운샘

유제 9-5

미분가능한 함수 $y=f(x)$가 $\int_{-1}^{x} f(t)dt=x^3+ax+b$를 만족시킨다. $f(1)=5$일 때, $\int_{a}^{b} f(x)dx$의 값을 구하시오. (단, a, b는 상수이다.)

○ △ X

유제 9-6

다항함수 $y=f(x)$에 대하여 $\int_{a}^{x} f(t)dt=x^2+x-2$일 때, $f(a)+f'(a)$의 값을 구하시오. (단, $a>0$)

○ △ X

아름다운 샘

필수 예제 4

함수 $f(x)=ax^2+bx$가 다음 조건을 만족시킬 때, 두 상수 a, b의 값을 구하시오.

(가) $\lim_{x \to 1} \frac{f(x)-f(1)}{x^2-1}=-2$	(나) $\int_0^1 f(x)dx=\frac{1}{3}$

유제 9-7

$f'(x)=ax-3$인 함수 $y=f(x)$가 다음 조건을 만족시킬 때, 상수 a의 값과 $f(2)$의 값을 구하시오.

O △ X

(가) $f(1)=-1$	(나) $\int_0^1 f(x)dx=-\frac{13}{6}$

2 정적분의 성질

필수 예제 5

다음 정적분의 값을 구하시오.

(1) $\int_{-1}^{2}(x^2-2x)dx+\int_{-1}^{2}(2x^2+2x)dx$ 　O △ X

(2) $\int_{1}^{2}(2x^2-3x+1)dx+\int_{2}^{1}(y^2-3y)dy$ 　O △ X

유제 9-8

다음 정적분의 값을 구하시오.

(1) $\int_{2}^{3}(x+1)^2dx-\int_{2}^{3}(x^2-x+1)dx$

O △ X

(2) $\int_{0}^{1}\frac{x^3}{x+1}dx-\int_{1}^{0}\frac{1}{t+1}dt$

O △ X

유제 9-9

등식 $\int_{0}^{1}(x+a)^3dx-\int_{0}^{1}(t-a)^3dt=6a$를 만족시키는 양수 a의 값을 구하시오.

O △ X

아름다운 샘

필수 예제 6

다음 정적분의 값을 구하시오.

(1) $\int_{0}^{1}(x^3-2x)dx+\int_{1}^{2}(x^3-2x)dx$ ○ △ X

(2) $\int_{2}^{4}(3x^2-4x)dx-\int_{3}^{4}(3y^2-4y)dy+\int_{1}^{2}(3t^2-4t)dt$ ○ △ X

유제 9-10

다음 정적분의 값을 구하시오.

(1) $\int_{-1}^{1}(y^3-1)dy-\int_{2}^{1}(y^3-1)dy$ ○ △ X

(2) $\int_{-2}^{0}(2x-1)dx+\int_{0}^{2}(2y-1)dy-\int_{1}^{2}(2t-1)dt$ ○ △ X

유제 9-11

다항함수 $y=f(x)$에 대하여

$$\int_{-1}^{1} f(x)dx-\int_{3}^{1} f(y)dy+\int_{3}^{a} f(z)dz=0$$

이 항상 성립할 때, 상수 a의 값을 구하시오.

O △ X

필수 예제 7

함수 $f(x)=\begin{cases} 2-x & (x\geq 1) \\ x & (x<1) \end{cases}$ 일 때, 다음 정적분의 값을 구하시오.

(1) $\int_{-1}^{2} f(x)dx$

O △ X

(2) $\int_{0}^{3} f(x-1)dx$

O △ X

아름다운샘

유제 9-12

함수 $f(x)=\begin{cases} x^2 & (x\ge -1) \\ -x^2-2x & (x<-1) \end{cases}$ 일 때, 다음 정적분의 값을 구하시오.

(1) $\int_{-2}^{1} f(x)dx$ O △ X

(2) $\int_{-2}^{0} f(x+1)dx$ O △ X

필수 예제 8

다음 정적분의 값을 구하시오.

(1) $\int_{0}^{3} |x-1|dx$ 

(2) $\int_{0}^{2} |x-x^2|dx$ O △ X

유제 9-13

다음 정적분의 값을 구하시오.

(1) $\int_{-2}^{0} |2x+1|dx$ O △ X

(2) $\int_{0}^{2} (|x-1|+|x-2|)dx$ O △ X

유제 9-14

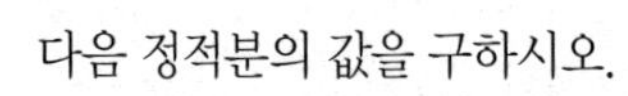

다음 정적분의 값을 구하시오.

(1) $\int_{-2}^{3} |x^2-1|dx$ O △ X

(2) $\int_{-1}^{2} (x^2-|x|+1)dx$ O △ X

1. 여러 가지 함수의 정적분
   ① 우함수와 기함수의 정적분
   ② 주기함수의 정적분

2. 정적분으로 정의된 함수
   ① 정적분으로 정의된 함수의 미분
   ② 정적분으로 정의된 함수의 극한

1. 우함수와 기함수의 정적분

함수 $y=f(x)$가 구간 $[-a, a]$에서 연속이고

(1) $f(-x)=f(x)$일 때, $\int_{-a}^{a} f(x)dx=2\int_{0}^{a} f(x)dx$

(2) $f(-x)=-f(x)$일 때, $\int_{-a}^{a} f(x)dx=0$

2. 주기함수의 정적분

함수 $y=f(x)$가 임의의 실수 x에 대하여

$f(x+p)=f(x)$ (p는 0이 아닌 상수)일 때,

(1) $\int_{a+np}^{b+np} f(x)dx=\int_{a}^{b} f(x)dx$ (단, n은 정수)

(2) $\int_{a}^{a+np} f(x)dx=n\int_{0}^{p} f(x)dx$ (단, n은 정수)

3. 정적분으로 정의된 함수의 미분

(1) $\frac{d}{dx}\int_{a}^{x} f(t)dt=f(x)$ (단, a는 상수)

(2) $\frac{d}{dx}\int_{x}^{x+a} f(t)dt=f(x+a)-f(x)$ (단, a는 상수)

4. 정적분으로 정의된 함수의 극한

(1) $\lim_{x\to a}\frac{1}{x-a}\int_{a}^{x} f(t)dt=f(a)$

(2) $\lim_{x\to 0}\frac{1}{x}\int_{a}^{x+a} f(t)dt=f(a)$

1 여러 가지 함수의 정적분

핵심 Note

필수 예제 1

다음 정적분의 값을 구하시오.

(1) $\int_{-1}^{1}(x^3-2|x|+3)dx$ ○ △ X

(2) $\int_{-2}^{0}(x^5-x^3+3x^2-1)dx+\int_{0}^{2}(x^5-x^3+3x^2-1)dx$ ○ △ X

아름다운 샘

유제 10-1

다음 정적분의 값을 구하시오.

(1) $\int_{-1}^{1} (2x^5 - x^3 + 3x^2 - 5x + 4)dx$ ○ △ X

(2) $\int_{-2}^{2} (4x^3 + 3|x| + 1)dx$ ○ △ X

(3) $\int_{-1}^{2} (x^7 - 2x^5 + x^2 - 1)dx + \int_{2}^{1} (t^7 - 2t^5 + t^2 - 1)dt$ ○ △ X

유제 10-2

함수 $f(x)=x^3+3ax+2b$에 대하여 $\int_{-2}^{2} f(x)dx=\int_{-2}^{2} xf(x)dx=0$일 때, $a+b$의 값을 구하시오. (단, a, b는 상수이다.)

O △ X

필수 예제 2

두 다항함수 f, g가 모든 실수 x에 대하여 $f(-x)=f(x)$, $g(-x)=-g(x)$를 만족시키고 $\int_{0}^{3} f(x)dx=4$, $\int_{0}^{3} g(x)dx=5$일 때, 정적분 $\int_{-3}^{3} \{f(x)+g(x)\}dx$의 값을 구하시오.

O △ X

아름다운 샘

유제 10-3

두 다항함수 f, g가 임의의 실수 x에 대하여 $f(-x)=f(x)$, $g(-x)=-g(x)$를 만족시키고 $\int_{-2}^{2}f(x)dx=8$, $\int_{-2}^{0}g(x)dx=3$일 때, 정적분 $\int_{0}^{2}f(x)dx+\int_{0}^{2}g(x)dx$의 값을 구하시오.

O △ X

유제 10-4

연속함수 $y=f(x)$가 임의의 실수 x에 대하여 $f(-x)=f(x)$를 만족시키고 $\int_{0}^{1}f(x)dx=-2$일 때, 정적분 $\int_{-1}^{1}(x-3)f(x)dx$의 값을 구하시오.

O △ X

필수 예제 3

실수 전체의 집합에서 연속인 함수 $y=f(x)$가 임의의 실수 x에 대하여

$$f(x+2)=f(x),\ \int_{-2}^{2} f(x)dx=4$$

를 만족시킬 때, 정적분 $\int_{-2}^{8} f(x)dx$의 값을 구하시오. (O △ X)

유제 10-5

실수 전체의 집합에서 연속인 함수 $y=f(x)$가 모든 실수 x에 대하여 $f(x+3)=f(x)$, $\int_{1}^{4} f(x)dx=5$를 만족시킬 때, 정적분 $\int_{1}^{10} f(x)dx$의 값을 구하시오. (O △ X)

아름다운샘

유제 10-6

실수 전체의 집합에서 연속인 함수 $y=f(x)$가 다음 조건을 만족시킬 때, 정적분 $\int_{-3}^{3} f(x)dx$의 값을 구하시오.

O △ X

(가) 모든 실수 x에 대하여 $f(x+1)=f(x)$
(나) $0\le x\le 1$일 때, $f(x)=-x^2+x$

정적분으로 정의된 함수

핵심 Note

필수 예제 4

다음 등식을 만족시키는 함수 $y=f(x)$를 구하시오.

(1) $f(x)=2x-4\int_0^1 f(x)dx$ O △ X

(2) $f(x)=2+\int_0^1 xf(t)dt$ O △ X

유제 10-7

다음 등식을 만족시키는 함수 $y=f(x)$를 구하시오.

(1) $f(x)=3x^2-2x+2\int_0^1 f(x)dx$

(2) $f(x)=-3x^2+2x\int_{-1}^1 f(t)dt$

아름다운 샘

필수 예제 5

미분가능한 함수 $y=f(x)$가 $\int_{1}^{x} f(t)dt=xf(x)-2x^3+3x^2-2$를 항상 만족시킬 때, 함수 $y=f(x)$를 구하시오.

O △ X

유제 10-8

미분가능한 함수 $y=f(x)$에 대하여

$$xf(x)=2x^3+\int_{1}^{x} f(t)dt$$

가 항상 성립할 때, $f(3)$의 값을 구하시오.

O △ X

아름다운샘

유제 10-9

미분가능한 함수 $y=f(x)$에 대하여 $f(x)=x^3+ax^2+\int_3^x (t^2+2t+2)dt$가 성립한다.

다항식 $f(x)$가 $x-3$으로 나누어떨어질 때, $f'(1)$의 값을 구하시오. (단, a는 상수이다.)

O △ X

발전 예제 6

임의의 실수 x에 대하여 다음 등식을 만족시키는 다항함수 $y=f(x)$를 구하시오.

$$\int_1^x (x-t)f(t)dt=2x^3-x^2-4x+3$$

O △ X

아름다운샘

유제 10-10

임의의 실수 x에 대하여 다음 등식을 만족시키는 다항함수 $y=f(x)$를 구하시오.

(단, a는 상수이다.)

O △ X

$$\int_{1}^{x}(x-t)f(t)dt=x^3+ax^2-5x+3$$

유제 10-11

다항함수 $y=f(x)$에 대하여

$$\int_{1}^{x}xf(t)dt=2x^3+ax^2+1+\int_{1}^{x}tf(t)dt$$

가 성립할 때, 상수 a에 대하여 $f(1)+a$의 값을 구하시오.

O △ X

필수 예제 7

함수 $f(x)=\int_0^x(3t^2-3)dt$의 극댓값과 극솟값을 구하시오.

O △ X

유제 10-12

함수 $f(x)=\int_{-1}^x(t^2-3t+2)dt$의 극댓값과 극솟값을 구하시오.

O △ X

유제 10-13

함수 $f(x)=\int_0^x (t^2+at+b)dt$가 $x=2$에서 극솟값 $\frac{2}{3}$를 가질 때, 이 함수의 극댓값을 구하시오. (단, a, b는 상수이다.)

O △ X

필수 예제 8

$-1\le x\le 1$에서 함수 $f(x)=\int_x^{x+1} (t^2-t)dt$의 최댓값과 최솟값을 구하시오.

O △ X

유제 10-14

$0 \leq x \leq 3$에서 함수 $f(x)=\int_{0}^{x}(t-1)(t-4)dt$의 최댓값을 구하시오.

○ △ X

유제 10-15

$1 \leq x \leq 3$에서 함수 $f(x)=\int_{x-1}^{x}(t^{2}-3t)dt$의 최댓값을 M, 최솟값을 m이라 할 때, $M+m$의 값을 구하시오.

○ △ X

필수 예제 9

다음 극한값을 구하시오.

(1) $\lim_{h \to 0} \frac{1}{h} \int_{2}^{2+h} (6x^2-2x+1)dx$ ○ △ X

(2) $f(x)=x^{10}-5x^4+3x+2$일 때, $\lim_{x \to 1} \frac{1}{x-1} \int_{1}^{x} f(t)dt$ ○ △ X

유제 10-16

다음 극한값을 구하시오.

(1) $\lim_{x \to 0} \frac{1}{x} \int_{2}^{2+2x} (t+1)^3 dt$ ○ △ X

(2) $f(x)=x^4-2x^2+1$일 때, $\lim_{x \to 1} \frac{1}{x-1} \int_{1}^{x^2} f(t)dt$ ○ △ X

아름다운 샘

1. 넓이
   ① 곡선과 x축 사이의 넓이
   ② 곡선과 y축 사이의 넓이
   ③ 두 곡선으로 둘러싸인 도형의 넓이

2. 속도와 거리
   ① 위치와 위치의 변화량
   ② 움직인 거리

1. 곡선과 x축 사이의 넓이

구간 $[a, b]$에서 곡선 $y=f(x)$와 x축 및 두 직선 $x=a$, $x=b$로 둘러싸인 도형의 넓이 S는

$$S=\int_a^b |f(x)|dx$$

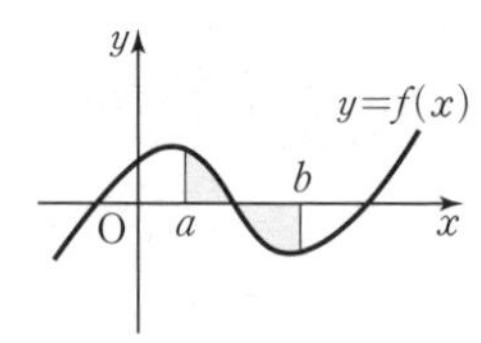

2. 두 곡선 사이의 넓이

구간 $[a, b]$에서 두 곡선 $y=f(x)$, $y=g(x)$와 두 직선 $x=a$, $x=b$로 둘러싸인 도형의 넓이 S는

$$S=\int_a^b |f(x)-g(x)|dx$$

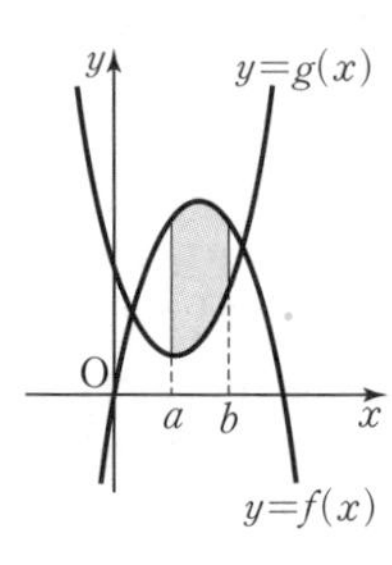

3. 위치와 위치의 변화량

수직선 위를 움직이는 점 P의 시각 t에서의 속도를 $v(t)$, 시각 $t=a$에서의 점 P의 위치를 $s(a)$라 할 때,

(1) 시각 t에서의 점 P의 위치는

➡ $s(t)=s(a)+\int_a^t v(t)dt$

(2) 시각 $t=a$에서 $t=b$까지의 점 P의 위치의 변화량은

➡ $\int_a^b v(t)dt$

4. 움직인 거리

수직선 위를 움직이는 점 P의 시각 t에서의 속도가 $v(t)$일 때,
시각 $t=a$에서 $t=b$까지 점 P가 움직인 거리 s는

➡ $s=\int_a^b |v(t)|dt$

1 넓이

필수 예제 1

다음 곡선과 x축으로 둘러싸인 도형의 넓이를 구하시오.

(1) $y=x^2-x-2$ O △ X

(2) $y=x^3-4x^2+3x$ O △ X

유제 11-1

다음 곡선과 x축으로 둘러싸인 도형의 넓이를 구하시오.

(1) $y=x^2-3x+2$ ○ △ X

(2) $y=x^3+4x^2+5x+2$ ○ △ X

유제 11-2

곡선 $y=-x^2+ax$ $(a>0)$와 x축으로 둘러싸인 도형의 넓이가 $\frac{4}{3}$일 때, 상수 a의 값을 구하시오. ○ △ X

아름다운샘

필수 예제 2

다음 도형의 넓이를 구하시오.

(1) 곡선 $y=x^2-4x$와 x축 및 두 직선 $x=-1$, $x=3$으로 둘러싸인 도형 O △ X

(2) 곡선 $y=-x^2-x+2$와 x축 및 두 직선 $x=-3$, $x=0$으로 둘러싸인 도형 O △ X

유제 11-3

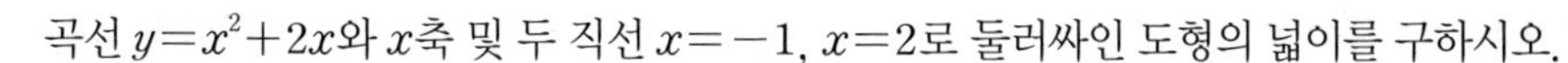

곡선 $y=x^2+2x$와 x축 및 두 직선 $x=-1$, $x=2$로 둘러싸인 도형의 넓이를 구하시오.

O △ X

아름다운 샘

유제 11-4

2보다 큰 실수 a에 대하여 곡선 $y=x^2-2x$와 x축 및 직선 $x=a$로 둘러싸인 도형의 넓이가 $\frac{8}{3}$일 때, a의 값을 구하시오.

O △ X

필수 예제 3

곡선 $y=x(x-2)(x-a)$와 x축으로 둘러싸인 두 도형의 넓이가 같을 때, 상수 a의 값을 구하시오. (단, $a>2$)

O △ X

아름다운 샘

유제 11-5

그림은 이차함수 $y=x^2-4x$의 그래프와 x축 및 직선 $x=a$로 둘러싸인 두 도형 A, B를 나타낸 것이다. A, B의 넓이가 서로 같을 때, a의 값을 구하시오. (단, $a>4$)

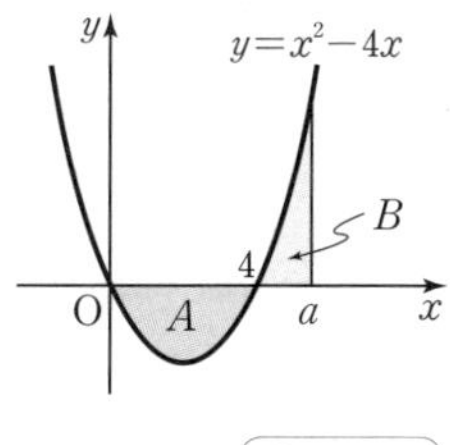

O △ X

유제 11-6

그림과 같이 곡선 $y=-x^2+4x+a$와 좌표축으로 둘러싸인 두 도형의 넓이를 각각 A, B라 하자. $A : B=1 : 2$일 때, 상수 a의 값을 구하시오.

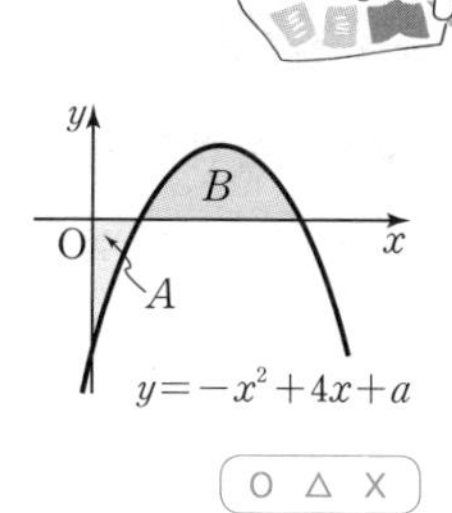

O △ X

필수 예제 4

다음 도형의 넓이를 구하시오.

(1) 곡선 $y=\sqrt{x}$와 y축 및 직선 $y=1$로 둘러싸인 도형 ○ △ X

(2) 곡선 $x=y^2-4$와 y축 및 직선 $y=3$으로 둘러싸인 도형 ○ △ X

유제 11-7

곡선 $y=\sqrt{x+1}$과 x축 및 y축으로 둘러싸인 도형의 넓이를 구하시오. ○ △ X

유제 11-8

곡선 $x=y^2-2y$와 y축 및 직선 $y=-1$로 둘러싸인 도형의 넓이를 구하시오. ○ △ X

필수 예제 5

곡선 $y=x^2-1$과 직선 $y=x+1$로 둘러싸인 도형의 넓이를 구하시오. ○ △ X

유제 11-9

곡선 $y=x^2+2$와 직선 $y=3x$로 둘러싸인 도형의 넓이를 구하시오. ○ △ X

유제 11-10

곡선 $y=x^2-3x$와 직선 $y=-x+k$로 둘러싸인 도형의 넓이가 36일 때, 상수 k의 값을 구하시오.

O △ X

필수 예제 6

곡선 $y=x^3-3x$와 직선 $y=x$로 둘러싸인 도형의 넓이를 구하시오.

O △ X

아름다운 샘

유제 11-11

곡선 $y=x^3$과 직선 $y=x$로 둘러싸인 도형의 넓이를 구하시오.

O △ X

유제 11-12

곡선 $y=x^3-3x^2+3x-2$와 직선 $y=x-2$로 둘러싸인 도형의 넓이를 구하시오.

O △ X

필수 예제 7

두 곡선 $y=x^2-2x$와 $y=-x^2+4$로 둘러싸인 도형의 넓이를 구하시오.

O △ X

유제 11-13

두 곡선 $y=x^2-1$과 $y=-x^2-2x+3$으로 둘러싸인 도형의 넓이를 구하시오.

O △ X

유제 11-14

두 곡선 $y=x^2$과 $y=x^3-2x$로 둘러싸인 도형의 넓이를 구하시오.

O △ X

발전 예제 8

곡선 $y=x^3-3$ 위의 점 $(-1,\ -4)$에서의 접선과 이 곡선으로 둘러싸인 도형의 넓이를 구하시오.

O △ X

아름다운샘

유제 11-15

곡선 $y=x^3-x+1$ 위의 점 $(1, 1)$에서의 접선과 이 곡선으로 둘러싸인 도형의 넓이를 구하시오.

O △ X

유제 11-16

점 $(0, -1)$에서 곡선 $y=x^2+2$에 그은 두 접선과 이 곡선으로 둘러싸인 도형의 넓이를 구하시오.

O △ X

필수 예제 9

곡선 $y=|x^2-2x|$와 직선 $y=3$으로 둘러싸인 도형의 넓이를 구하시오. O △ X

유제 11-17

곡선 $y=|3x(x-1)|$의 그래프와 x축 및 직선 $x=2$로 둘러싸인 도형의 넓이를 구하시오. O △ X

아름다운 샘

유제 11-18

곡선 $y=|x^2-2|$와 직선 $y=2$로 둘러싸인 도형의 넓이를 구하시오.

O △ X

발전 예제 10

곡선 $y=x^2-2x$와 직선 $y=mx$로 둘러싸인 도형의 넓이가 x축에 의하여 이등분될 때, 상수 m의 값을 구하시오.

O △ X

아름다운 샘

유제 11-19

곡선 $y=4x-x^2$과 x축으로 둘러싸인 도형의 넓이가 곡선 $y=ax^2$ $(a>0)$에 의하여 이등분될 때, 상수 a의 값을 구하시오.

O △ X

2 속도와 거리

필수 예제 11

수직선 위에서 원점을 출발하여 운동하는 점 P의 t초 후의 속도 v가 $v(t)=t^2-5t+4$일 때, 다음을 구하시오.

(1) 점 P의 운동 방향이 두 번째 바뀔 때의 점 P의 위치 ○ △ X

(2) 시각 $t=2$에서 $t=5$까지 점 P가 실제로 움직인 거리 ○ △ X

유제 11-20

원점을 동시에 출발하여 수직선 위를 움직이는 두 점 P, Q의 t초 후의 속도가 각각 $v_P(t)=6t^2-2t+6$, $v_Q(t)=3t^2+10t+1$일 때, 두 점 P, Q가 출발 후 처음으로 만나는 위치를 구하시오. ○ △ X

필수 예제 12

지상 10 m의 높이에서 30 m/s의 속도로 똑바로 위로 쏘아 올린 물체의 t초 후의 속도가 $v(t)=30-10t$ (m/s)이다. 다음을 구하시오.

(1) 물체를 쏘아 올린 후 4초가 지났을 때, 지상으로부터의 높이 O △ X

(2) 물체가 최고 지점에 도달했을 때의 지상으로부터의 높이 O △ X

(3) 물체를 쏘아 올린 후 5초 동안의 실제 움직인 거리 O △ X

유제 11-21

지상 10 m의 높이에서 15 m/s의 속도로 똑바로 위로 쏘아 올린 물체의 t초 후의 속도가 $v(t)=15-10t$ (m/s)일 때, 다음을 구하시오.

(1) 물체가 최고 지점에 도달할 때의 지상으로부터의 높이 O △ X

(2) 물체를 쏘아 올린 후 1초에서 3초까지의 움직인 거리 O △ X

필수 예제 13

원점을 출발하여 x축 위를 움직이는 점 P의 시각 t에서의 속도를 $v(t)$라 할 때, $0\leq t\leq 9$에서의 $y=v(t)$의 그래프가 그림과 같다. 다음을 구하시오.

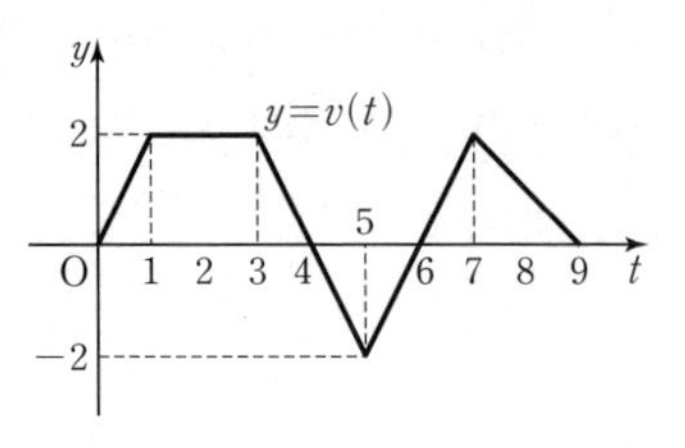

(1) 점 P가 원점을 출발한 후 $t=9$일 때까지 운동 방향을 바꾸는 횟수

O △ X

(2) $t=9$에서의 점 P의 위치

O △ X

(3) $0\leq t\leq 9$에서 점 P가 실제로 움직인 거리

O △ X

유제 11-22

원점을 출발하여 직선 운동을 하는 점 P의 시각 t에서의 속도 $v(t)$는

$$v(t)=\begin{cases} -|t-1|+1 & (0\leq t\leq 2) \\ (t-2)(t-4) & (2<t\leq 4) \end{cases}$$

이다. 점 P가 출발한 후 3초 동안 움직인 거리를 구하시오.

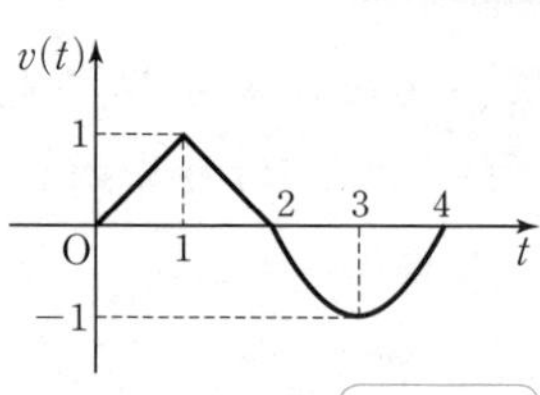

O △ X

아름다운샘

※ 정답은 홈페이지(www.a-ssam.co.kr)의 학습자료실에서 내려받으실 수 있습니다.

01. 함수의 극한 본문 p.001

예제

1 (1) 6 (2) $\sqrt{5}$ (3) ∞ **2** (1) ∞ (2) ∞ (3) -1
3 (1) -1 (2) 2 (3) 극한값은 존재하지 않는다. (4) 0 (5) 0 (6) -1
4 (1) 3 (2) 3 (3) 3
5 (1) 극한값은 존재하지 않는다. (2) 극한값은 존재하지 않는다. **6** (1) 15 (2) 8
7 (1) 7 (2) $\frac{1}{2}$ (3) 8 **8** (1) $\frac{4}{3}$ (2) 0 (3) 3 (4) 1
9 (1) ∞ (2) $\frac{5}{2}$ (3) 2 **10** (1) $-\frac{1}{2}$ (2) $\frac{3}{16}$
11 (1) $a=1$, $b=-2$ (2) $a=2$, $b=\frac{1}{2}$
12 $f(x)=2x(x-1)$ **13** (1) $\frac{4}{3}$ (2) 4 **14** $\frac{1}{2}$

유제

1 (1) $\frac{1}{5}$ (2) -5 (3) $-\infty$ (4) ∞
2 (1) ∞ (2) 2 (3) -3 (4) 0 3 (1) -2 (2) -1 (3) 1
4 5
5 (1) 극한값은 존재하지 않는다. (2) 극한값은 존재하지 않는다.
6 $\frac{1}{2}$ 7 5 8 (1) 12 (2) 2 (3) 3
9 (1) $\frac{1}{3}$ (2) 0 (3) $\frac{3}{2}$ (4) $-\frac{1}{3}$
10 (1) $-\infty$ (2) $\frac{2}{3}$ (3) 2 (4) -1 11 5
12 (1) $-\frac{1}{2}$ (2) -1 13 $\frac{3}{8}$
14 (1) $a=3$, $b=2$ (2) $a=1$, $b=\frac{2}{3}$ (3) $a=6$, $b=-3$ (4) $a=1$, $b=-1$
15 20 16 1 17 1010 18 2

02. 함수의 연속 본문 p.027

예제

1 (1) 연속 (2) 불연속
2 (1) $a=3$ (2) $a=-1$, $b=-1$ **3** $a=0$, $b=-1$
4 18 **5** $a=6$, $f(1)=8$ **6** -1 **7** 5
8 ㄱ, ㄴ **9** ㄱ, ㄷ **10** ㄱ
11 (1) 최댓값: 2, 최솟값: $-\frac{1}{4}$ (2) 최댓값: 3, 최솟값: $\frac{3}{2}$
12 (1) 수학의 샘 참조 (2) 수학의 샘 참조

유제

1 (1) 연속 (2) 연속 (3) 불연속 (4) 불연속
2 (1) $a=-3$ (2) $a=-1$, $b=2$
3 (1) $a=1$, $b=5$ (2) $a=-2$, $b=-3$ 4 $4+2\sqrt{2}$
5 $a=2$, $b=\frac{3}{4}$ 6 -5 7 12 8 -2
9 2 10 ㄱ, ㄷ 11 28 12 ㄴ, ㄷ
13 ㄴ, ㄷ 14 ㄴ, ㄷ 15 ㄱ, ㄷ
16 (1) 최댓값과 최솟값은 없다. (2) 최댓값: $\sqrt{3}+2$, 최솟값: 3
17 (1) 수학의 샘 참조 (2) 수학의 샘 참조 18 2

03. 미분계수 본문 p.045

예제

1 (1) 2 (2) $2a-2$ **2** (1) 2 (2) 0
3 (1) -8 (2) -4 **4** (1) 2 (2) 8 (3) $\frac{3}{4}$
5 (1) 8 (2) 5 **6** (1) 14 (2) 15 **7** 3
8 연속이지만 미분가능하지 않다. **9** ㄱ, ㄷ
10 $a=2$, $b=0$

유제

1 -1 2 $\frac{5}{2}$ 3 (1) 2 (2) 6 4 $-\frac{8}{3}$
5 (1) 4 (2) 10 6 4 7 9 8 (1) $\frac{3}{4}$ (2) 4
9 (1) 12 (2) -11 10 30 11 (1) 5 (2) 10
12 2
13 (1) 연속이지만 미분가능하지 않다. (2) 연속이지만 미분가능하지 않다.
14 (1) 2, 3 (2) 1, 2, 3 15 $-\frac{3}{2}$

04. 도함수 본문 p.060

예제

1 (1) $f'(x)=6x-2$, 16 (2) $f'(x)=3x^2+3$, 30
2 -1
3 (1) $y'=6x+1$ (2) $y'=8x^3-12x^2$ (3) $y'=10x^4-8x^3+3x^2-2x$ (4) $y'=8x^3-9x^2+6x-3$ **4** (1) 41 (2) 20
5 (1) 4 (2) 7 **6** (1) 36 (2) 1 **7** (1) 1 (2) 14
8 (1) -2 (2) 13 **9** 13 **10** (1) 13 (2) 8
11 $a=1$, $b=-2$
12 (1) $a=10$, $b=9$ (2) $20x-19$
13 (1) $y'=40x(2x^2+1)^9$ (2) $y'=3(x^2+5x-7)^2(2x+5)$ (3) $y'=2(x+1)(x^2+1)^2(4x^2+3x+1)$

유제

1 (1) $f'(x)=2x-3$, 7 (2) $f'(x)=3x^2-6x+2$, 47
2 $f'(x)=2x+5$
3 (1) $y'=5x^4+12x^2-3$ (2) $y'=x^3+x^2-1$ (3) $y'=8x^3-2x$ (4) $y'=24x^3+27x^2-8x+3$
4 21 5 4 6 -15 7 -1 8 $-\frac{2}{3}$
9 -20 10 12 11 $\frac{2}{5}$ 12 -76 13 1
14 $a=2$, $b=-12$ 15 3 16 5 17 7
18 7 19 $a=1$, $b=12$ 20 $a=2$, $b=2$
21 $a=6$, $b=1$ 22 0
23 (1) $y'=35(5x-3)^6$ (2) $y'=5x(3x^3-4x^2+1)^4(9x-8)$ (3) $y'=2(2x+1)^2(x+3)^3(7x+11)$
24 52

05. 접선의 방정식과 평균값 정리 본문 p.083

예제

1 (1) 8 (2) $a=2$, $b=-4$
2 (1) $y=4x-3$ (2) $y=-\frac{1}{4}x+\frac{5}{4}$
3 (1) $y=-\frac{1}{4}$ (2) $y=-x+1$
4 $y=4$ 또는 $y=-4x+12$ **5** $3\sqrt{2}$
6 (1) 1 (2) -2 **7** $a=-1$, $b=-1$ **8** $\frac{1}{9}$
9 (1) 3 (2) $-\frac{5}{3}$ **10** (1) $\frac{1}{2}$ (2) $\sqrt{3}$

유제

1 $(3, 0)$ 2 $a=-2$, $b=1$ 3 $y=7x-5$
4 $y=-x+4$ 5 $y=2x+1$ 6 $\frac{4\sqrt{5}}{5}$
7 (1) $y=-7x$ 또는 $y=x$ (2) $y=5x+2$
8 18 9 $2\sqrt{2}$ 10 16 11 -4 12 3
13 4 14 2 15 $\frac{1}{2}$ 16 7 17 1 18 4
19 $\frac{3}{2}$ 20 4

06. 증가 · 감소와 극대 · 극소 본문 p.100

예제

1 (1) 구간 $(-\infty, -1]$과 $[1, \infty)$에서 증가, 구간 $[-1, 1]$에서 감소 (2) 구간 $(-\infty, -\sqrt{2}]$와 $[0, \sqrt{2}]$에서 증가, 구간 $[-\sqrt{2}, 0]$과 $[\sqrt{2}, \infty)$에서 감소
2 (1) $-\frac{1}{3} \le a \le 0$ (2) $a \le -\frac{9}{4}$
3 (1) $a \ge 9$ (2) $a \ge \frac{15}{4}$
4 (1) 극댓값: 31, 극솟값: -1 (2) 극댓값: 9, 극솟값: 5
5 (1) 극댓값: 5, 극솟값: -27, 0 (2) 극솟값: -24
6 (1) 30 (2) $\frac{9}{2}$
7 (1) $a=5$, 극솟값: 1 (2) $a=-2$, 극댓값: -2
8 (1) $a=-\frac{3}{2}$, $b=4$, 극댓값: 6 (2) $a=0$, $b=3$, $c=6$
9 (1) $a<0$ 또는 $a>\frac{1}{3}$ (2) $0 \le a \le 2$
10 $-12<k<0$
11 (1) 극댓값: 2, 극솟값: $\frac{22}{27}$

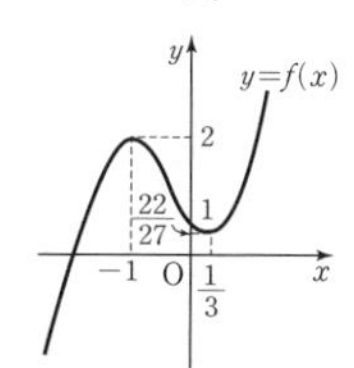

(2) 극댓값: 12

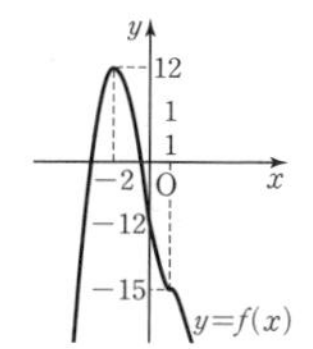

12 ㄷ **13** 최댓값: 23, 최솟값: -13
14 $a=2$, $b=3$ **15** $\frac{81}{2}$

유제

1 (1) 구간 $(-\infty, 2]$에서 감소, 구간 $[2, \infty)$에서 증가
(2) 구간 $(-\infty, -5]$와 $[1, \infty)$에서 증가, 구간 $[-5, 1]$에서 감소
(3) 구간 $[-1, 1]$에서 증가, 구간 $(-\infty, -1]$과 $[1, \infty)$에서 감소
(4) 구간 $\left[-\frac{\sqrt{2}}{2}, 0\right]$과 $\left[\frac{\sqrt{2}}{2}, \infty\right)$에서 증가, 구간 $\left(-\infty, -\frac{\sqrt{2}}{2}\right]$와 $\left[0, \frac{\sqrt{2}}{2}\right]$에서 감소

2 $a=\frac{21}{2}$, $b=-30$　3 7　4 $-3\le a\le 6$

5 9　6 3

7 (1) 극댓값: $6\sqrt{3}$, 극솟값: $-6\sqrt{3}$
(2) 극댓값: 14, 극솟값: -13

8 (1) 극댓값: 14, 극솟값: -18, 9 (2) 극댓값: 3

9 3　10 15　11 $a=3$, 극댓값: -1　12 2

13 $a=-4$, $b=9$, 극댓값: 9　14 1

15 (1) $a<0$ 또는 $a>3$ (2) $0\le a\le 4$

16 $a<0$ 또는 $0<a<\frac{9}{4}$　17 $a>3$

18 $1<k<2$

19 (1) 극댓값: 7, 극솟값: -25

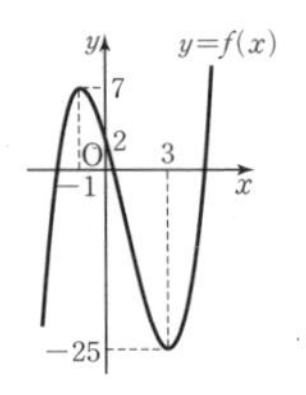

(2) 극댓값: 15, 극솟값: -17, 10

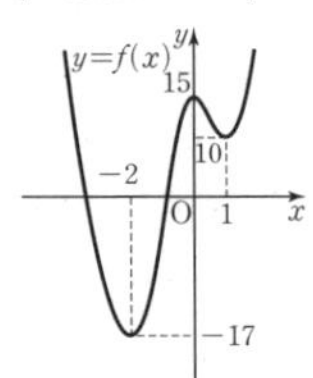

20 3　21 -2

22 최댓값: 9, 최솟값: 0

23 최댓값: 10, 최솟값은 없다.

24 -19　25 1　26 2　27 8

07. 도함수의 활용

본문 p.124

예제

1 (1) 3 (2) 2

2 $k<-1$ 또는 $k>0$일 때, 실근의 개수는 1
$k=-1$ 또는 $k=0$일 때, 실근의 개수는 2
$-1<k<0$일 때, 실근의 개수는 3

3 (1) $-2<a<2$ (2) $a<-2$ 또는 $a>2$

4 $0<a<1$　5 $-4<p<0$　6 $k\le -2$

7 (1) $k\ge 32$ (2) 5　8 (1) 18 (2) -27 (3) -22

9 (1) 속도: -10 m/s, 가속도: -10 m/s^2 (2) 20 m

10 ㄱ, ㄴ　11 (1) 250 m/min (2) 150 m/min

유제

1 (1) 1 (2) 4

2 $k<4$ 또는 $k>5$일 때, 실근의 개수는 1
$k=4$ 또는 $k=5$일 때, 실근의 개수는 2
$4<k<5$일 때, 실근의 개수는 3

3 $0<k<5$　4 (1) $-27<a<5$ (2) -22

5 2　6 -18　7 3　8 $-27<p<0$　9 4

10 27　11 $-\frac{26}{3}$　12 $a<-6$　13 -1

14 14　15 (1) 속도: -10 m/s, 가속도: -10 m/s^2 (2) -20 m/s (3) 20 m　16 ㄱ, ㄴ

17 1.6π m^2/s　18 4800π cm^3/s

08. 부정적분

본문 p.141

예제

1 (1) $f(x)=4x-5$ (2) $f(x)=x-1$

2 (1) 2 (2) $f(x)=x^2+5x-4$

3 (1) $\frac{5}{4}x^4-x^3-2x+C$ (2) $\frac{2}{3}y^3+\frac{5}{2}y^2-3y+C$
(3) x^2+tx+C (4) x^3+x^2+4x+C

4 (1) $\frac{1}{3}x^3-x^2+4x+C$ (2) $\frac{1}{2}x^2+2x+C$

5 (1) $f(x)=x^3-2x^2+5x+4$ (2) $y=2x^2-3x+4$

6 9　7 9　8 $f(x)=4x^3-10x+5$　9 -27

10 $f(x)=x^3-3x^2+2$　11 $f(x)=2x^2-x$

유제

1 $a=6$, $b=-3$, $c=3$　2 3　3 0　4 2

5 (1) x^4-x^2+5x+C (2) $\frac{3}{2}t^4+\frac{4}{3}t^3-\frac{3}{2}t^2-2t+C$
(3) $x^2t+xt^2+\frac{1}{3}t^3+C$ (4) $6x^2+C$

6 (1) $\frac{1}{2}x^2+x+C$ (2) $\frac{1}{3}x^3-\frac{1}{2}x^2+x+C$

7 (1) $\frac{1}{3}x^3+\frac{1}{2}x^2+x+C$ (2) $\frac{1}{4}x^4+\frac{1}{3}x^3+\frac{1}{2}x^2+x+C$

8 $f(x)=x^4-2x^3+3x+5$

9 $y=3x^3-2x^2+5x+45$　10 8　11 4　12 4

13 -2　14 5

15 $f(x)=-\frac{3}{2}x^2-x+\frac{1}{2}$　16 25　17 30

18 -34　19 $f(x)=2x^3-3x$

09. 정적분

본문 p.159

예제

1 (1) 6 (2) -5 (3) $-\frac{5}{3}$ (4) 0

2 (1) $f(x)=2x+2$ (2) 2　3 (1) -4 (2) 6

4 $a=-\frac{7}{2}$, $b=3$　5 (1) 9 (2) $\frac{10}{3}$　6 (1) 0 (2) 10

7 (1) $\frac{1}{2}$ (2) $\frac{1}{2}$　8 (1) $\frac{5}{2}$ (2) 1

유제

1 (1) $-\frac{3}{2}$ (2) $-\frac{10}{3}$ (3) $-\frac{2}{3}$ (4) $-\frac{29}{6}$

2 $\frac{1}{3}$ 또는 $\frac{1}{2}$　3 $f(x)=4x+1$　4 -2　5 21

6 5　7 $a=8$, $f(2)=8$　8 (1) $\frac{15}{2}$ (2) $\frac{5}{6}$

9 $\sqrt{2}$　10 (1) $\frac{3}{4}$ (2) -6　11 -1

12 (1) $\frac{4}{3}$ (2) $\frac{2}{3}$　13 (1) $\frac{5}{2}$ (2) 3

14 (1) $\frac{28}{3}$ (2) $\frac{7}{2}$

10. 정적분의 응용

본문 p.173

예제

1 (1) 4 (2) 12　2 8　3 10

4 (1) $f(x)=2x-\frac{4}{5}$ (2) $f(x)=4x+2$

5 $f(x)=3x^2-6x+4$　6 $f(x)=12x-2$

7 극댓값: 2, 극솟값: -2

8 최댓값: $\frac{5}{6}$, 최솟값: $-\frac{1}{6}$

9 (1) 21 (2) 1

유제

1 (1) 10 (2) 16 (3) $-\frac{4}{3}$　2 $-\frac{4}{5}$　3 1　4 12

5 15　6 1

7 (1) $f(x)=3x^2-2x$ (2) $f(x)=-3x^2-4x$

8 26　9 2　10 $f(x)=6x+2$　11 3

12 극댓값: $\frac{14}{3}$, 극솟값: $\frac{9}{2}$　13 $\frac{5}{6}$

14 $\frac{11}{6}$　15 $-\frac{10}{3}$　16 (1) 54 (2) 0

11. 정적분의 활용

본문 p.188

예제

1 (1) $\frac{9}{2}$ (2) $\frac{37}{12}$　2 (1) $\frac{34}{3}$ (2) $\frac{31}{6}$

3 4　4 (1) $\frac{1}{3}$ (2) 13　5 $\frac{9}{2}$　6 8

7 9　8 $\frac{27}{4}$　9 8　10 $2(\sqrt[3]{2}-1)$

11 (1) $-\frac{8}{3}$ (2) $\frac{31}{6}$

12 (1) 50 m (2) 55 m (3) 65 m

13 (1) 2 (2) 7 (3) 11

유제

1 (1) $\frac{1}{6}$ (2) $\frac{1}{12}$　2 2　3 $\frac{22}{3}$　4 3　5 6

6 $-\frac{8}{3}$　7 $\frac{2}{3}$　8 $\frac{8}{3}$　9 $\frac{1}{6}$　10 8

11 $\frac{1}{2}$　12 $\frac{1}{2}$　13 9　14 $\frac{37}{12}$　15 $\frac{27}{4}$

16 $2\sqrt{3}$　17 3　18 $\frac{16}{3}(2-\sqrt{2})$　19 $\sqrt{2}-1$

20 7　21 (1) $\frac{85}{4}$ m (2) $\frac{25}{2}$ m　22 $\frac{5}{3}$